D0590566

Saabyes Circus

Boeken van Lars Saabye Christensen

# Lars Saabye Christensen

# Saabyes Circus

Uit het Noors vertaald door
Paula Stevens

DE GEUS

Deze uitgave is mede tot stand gekomen dankzij een bijdrage
van NORLA (Oslo)

De vertaalster ontving voor deze vertaling een werkbeurs van het
Nederlands Letterenfonds

Oorspronkelijke titel *Saabyes Cirkus*, verschenen bij Cappelen
Oorspronkelijke tekst © J.W. Cappelens Forlag AS, 2006
Nederlandse vertaling © Paula Stevens en De Geus BV, Breda 2012
Omslagontwerp- en illustratie © Stian Hole, Noorwegen
ISBN 978 90 445 1356 1
NUR 302

Wilt u het gratis magazine *Geuzennieuws* met informatie over onze
nieuwe uitgaven ontvangen, ga dan naar www.degeus.nl en meld u aan.

Saabyes Circus

Ik viel in Parijs. Pal voor de ogen van mijn uitgevers en vertalers, niet alleen die uit Europa, de vs en Zuid-Amerika, maar ook die uit Australië, Nieuw-Zeeland en Japan, en niet te vergeten de journalisten die deze avond uiteraard aanwezig waren, viel ik dus van het podium van het eerbiedwaardige auditorium 2, tijdens de grote boekenbeurs van Parijs, op 4 maart 2005, om 19.03 uur. Ik was daar uitgenodigd om te spreken over de kenmerken van de Scandinavische literatuur, nader bepaald de Noorse roman, wat hen betrof de mijne, als ik daar Scandinavische, of Noorse kenmerken in kon ontdekken, en als ik iets wilde vertellen over hoe of waarom ik überhaupt schrijver was geworden, dan moest ik dat ook vooral niet laten. De kaders waren, om het heel netjes te zeggen, ruim, en dat had me misschien alerter moeten maken dan ik was, meewind maakt je vaak sloom, slordig, onverschillig bijna, en ik had, moet ik toegeven, de wind mee, zoals dat heet. Ik bevond me dus in de gevarenzone, zonder dat zelf te weten. In die toestand liep ik de vijf treden naar het smalle, wankele podium op, dat daar voor deze gelegenheid was neergezet en dat totaal uit de toon viel bij het verder zo grandioze interieur. Het was waarschijnlijk gehuurd van een firma die ook sportclubs, veertiende-julicomités en kerkbazaars tot zijn klanten rekende. Zo zag het eruit. Het applaus brak los zodra ik me vertoonde en verstomde weer even snel. Er hing verwachting in de lucht. Ik maakte een buiging. In de zak van mijn colbertje zat een spiekbriefje, waar ik slechts drie woorden op had geschreven, drie trefwoorden die verband hielden met het veelomvattende thema van de avond, namelijk wat kenmerkend was voor de Scandinavische literatuur, nader bepaald de Noorse roman, en hoe, of waarom, ik schrijver was geworden, als ik kans zag daar iets over te vertellen, en die woorden waren 'tijd', 'zwijgen', 'melancholie'. Ik had de organisatoren van tevoren zowel schriftelijk als mondeling om een stoel gevraagd waarop ik kon zitten, want ik word snel wiebelig en duizelig als ik staande moet praten, dat heeft iets met mijn ademhaling en mijn hartritme te maken, de artsen noemen het een supraventriculaire extrasystole, als ik veilig op een stoel zit slaat mijn hart rustig en gestaag, als een metronoom van vlees en bloed, maar als ik sta slaat mijn hart aan de lopende band over, alsof er een dolle hond in mijn borstkas vastgeketend zit. En de stoel was niet vergeten. Hij stond tegen de muur, die was bedekt met een enorme kaart van heel Scandinavië, en het was een teleurstellend gewone houten stoel, zo'n beetje als de stoelen die je vroeger op school had, of die vaak het enige meubilair zijn in naargeestige wachtkamers van hardhandige tandartsen, met een zitting en rug van dun fineer en zonder armleuningen. Je moest absoluut je mannetje staan om vanaf deze stoel geïnspireerd over literatuur te praten, dat begreep ik wel, maar ik maakte me geen zorgen, want ik had immers de wind mee. Toch vond ik het ongepast dat ik zo dicht bij de kaart van Scandinavië zat, ik bedekte zo'n beetje heel Denemarken, dat kon erg storend zijn, vanuit het publiek gezien. Daarom trok ik de stoel naar de rand

8

van het podium. Dat had ik niet moeten doen. Toen ik ging zitten en ik mijn naam wilde noemen, merkte ik dat de stoel wankelde en ik wist ook, meteen, dat het te laat was om op te staan. Voordat ik een woord had kunnen zeggen, begon ik al te vallen. De ene stoelpoot stond niet meer op het podium. De stoel kantelde naar voren. Ik zag nog net dat de klok bij de deur achter in de zaal 19.03 uur aanwees. Ik zag nog net alle glimlachende, vriendelijke gezichten die nog niet hadden gezien wat er gebeurde. En dit ene moment dijde uit in al zijn gruwelijkheid en bevroor tot een schuin litteken op mijn hoge voorhoofd. Zo viel ik in Parijs. De stoel schoot onder me vandaan. Ik dook richting publiek, richting vloer, richting afgrond. Sommige mensen spreken wel van een vrije val. Of ze liegen, of ze weten niet waar ze het over hebben. Want geen enkele val is vrij. Wie valt is onvrij. Mijn val was zo onvrij als alleen een publiekelijke val kan zijn. Nooit ben ik minder vrij geweest. Ik verloor niet alleen mijn evenwicht, maar ook mijn waardigheid. Als een lappenpop, een dolle marionet, met onzichtbare draden bevestigd aan de grillige vingers van een gemene god, hing ik daar in de lucht, tussen podium en publiek, tussen kroonluchter en parket, en ik hoorde al kreten, de verschrikte kreten van het publiek, ik hoorde al voetstappen dichterbij komen, ik zag dat de klok bij de deur nog steeds 19.03 uur aangaf, ik begon al te bedenken hoe ik me uit deze beschamende situatie, dit verschrikkelijke optreden zou kunnen redden, met behoud van een greintje, een zweem, een vleugje eer, ik zou stokstijf op de grond kunnen blijven liggen, ongeacht hoeveel of hoe weinig pijn ik had zou ik voor dood kunnen blijven liggen en zo pech verheffen tot noodlot, een ongelukje tot een catastrofe, de lach tot een traan, er zouden dokters en een ambulance geroepen worden, er moest een reanimatiepoging aan te pas komen, en later, als ik in een rolstoel zat, van nek tot tenen verlamd, kon ik de waardeloze firma aanklagen die dit scheve podium had gebouwd, dit hellende vlak, ik zou de man of vrouw kunnen aanklagen die deze belachelijke stoel tegen de muur had gezet, ik zou de hele boekenbeurs kunnen aanklagen en ik kon zelfs Parijs, Chirac, Le Pen, de Eiffeltoren en Proust een proces aandoen. Aan de andere kant kon ik ook erbarmen tonen en iedereen vergeven. Maar zo ver kwam ik niet. Ik stak mijn beide armen in de lucht, alsof ik hen voorgoed vaarwel zwaaide, of alsof ik een laatste, pathetische poging deed me ergens aan vast te grijpen, aan een onmogelijk houvast, de schaduw van mijn leven, een ruwe trapeze in de blauwe koepel van de herinnering, en in dat ogenblik, dat voortdurende ogenblik, kon ik mezelf in de Bygdøy allé zien staan, voor Bruns Muziekhandel, ik bewonderde de elektrische gitaar die in de etalage stond, tussen trompetten en trekharmonica's, een fiëstarode Fender Stratocaster met een geschroefde hals van esdoornhout, een greepplank van esdoornhout, een volumeknop en drie *single-coil*-microfoons en het enige wat ik wist was dat ik die gitaar móést hebben. Ik noemde al even de Bygdøy allé, dat ik daar stond, in die voorname straat met zijn statige gevels in neo-renaissance- en barokstijl, de Parijse boulevard van Oslo, die van de Lapsetorv naar de Frognerbaai en het buitenverblijf van de koning wijst en die niet in de laatste plaats onsterfelijk is geworden, als ik het zo sterk mag uitdrukken, en dat doe ik, door het lied 'Als de kastanjes bloeien in de Bygdøy allé', voor eens en voor altijd met soepele bravoure uitgevoerd door Jens Book-Jensen. Maar de kastanjes bloeiden nu niet. Die begonnen los te laten van de takken en binnenkort zouden deze groene granaten, de zee-egels van het plantenrijk, zich in de schedels boren van nietsvermoedende voorbijgangers, die elke herfst weer even verrast waren wanneer de kastanjes in de Bygdøy allé vielen, behalve degenen die een hoed droegen, en dat deden de meesten eigenlijk, zowel mannen als vrouwen, in de Bygdøy allé. Dat gezegd hebbende kan ik net zo goed ook de datum noemen, een verhaal is namelijk gebaat bij een nuchter tijdstip, een verhaal vindt namelijk niet alleen plaats op een plaats, die vindt plaats in de tijd en de tijd is ook een plaats: 10 september 1965, ik was op weg van school naar huis, ik zat in de eerste klas van de middelbare school, op Vestheim, en was dus hier voor Bruns Muziekhandel in de Bygdøy allé blijven staan om voor de zoveelste keer de elektrische gitaar in de etalage te bewonderen. En mocht het iemand interesseren wat er die dag verder nog in de wereld gebeurde, dan kan ik melden dat de Hongaarse Gyula Zsivotsky een nieuw record kogelslingeren vestigde met een worp van 73,74 meter tijdens een wedstrijd in Debrecen, dat de Rolling Stones de Britse hitlijsten aanvoerden met 'Satisfaction' en dat er het etmaal ervoor 58,7 millimeter neerslag was gemeten in het weerstation van Oslo, Blindern, een nieuw record voor dat station. Nu was het echter droog, met een zweem guurte in de lucht, de voeg tussen herfst en zomer. Maar dat heeft weinig met de zaak te maken, het is slechts het rammelende raamwerk van het verhaal. Het gaat om het prijskaartje dat aan een touwtje aan de stemplug van de laagste snaar hing: 2.250 kronen. Ik had 50 øre op zak, 43 kronen op mijn rekening bij de Djosclub, wat de afkorting was van De Jonge Spaardersclub, en die rekening was tot de volgende zomer geblokkeerd met prikkeldraad en hangsloten en ik kreeg 3 kronen zakgeld per week, als ik het vuilnis naar beneden bracht, mijn eten opat, mijn kamer opruimde en me verder ook netjes gedroeg, met andere woorden: een muur van kapitaal, een heel schip met geld, een duizelingwekkend bedrag scheidde mij van de gitaar, en niet alleen de pasgezeemde etalageruit, die deze verleiding alleen nog maar groter maakte. Een erfenis hoefde ik binnenkort ook niet te verwachten, want mijn ouders waren nog maar halverwege het leven, zoals ze elke zaterdag plachten te zeggen, en relatief gezond, al had mijn moeder hoofdpijn bij volle maan en klaagde mijn vader soms over pijn in zijn rug, maar dat deden alle vaders in de buurt, vooral op zondagmiddag, als een nieuwe werkweek hun ruggengraat als een trekharmonica samenperste tussen hun nek en hun riem, er zou natuurlijk een ongeluk kunnen gebeuren, ongelukken gebeurden, en de meeste ongelukken gebeuren zelfs thuis, waar Noren het leeuwendeel van hun leven doorbrengen, thuis dus, mijn moeder zou bijvoorbeeld van het keukentrapje kunnen storten zodat haar hoofd tegen de deurpost verbrijzelde, en mijn vader zou een beroerte kunnen krijgen als hij thuiskwam van zijn werk en hij haar zo op de vloer aantrof, maar zo ver dacht ik niet, het was zondig om zulke gedachten te denken, want stel dat die gedachten bewaarheid werden, wat dan? Ik kon de gitaar natuurlijk stelen, maar hoe steel je een elektrische gitaar zonder gepakt te worden, een Mars, een waterijsje of een hockeypuck, dat was wat anders, die stak je gewoon snel in je zak, onder je jas, in je laars, niet dat ik dat ooit had gedaan, dat had ik alleen anderen zien doen, jongens uit mijn klas die al een strafblad hadden, maar een Fender Stratocaster nam meer plaats in beslag, zo'n instrument stelen was geen jatten meer, dat was een regelrechte roofoverval, daar moest je waarschijnlijk een masker voor hebben, een coltrui, een lage stem en een wapen, die mogelijkheid wees ik, met andere woorden, meteen van de hand. En ik was volgend jaar pas weer jarig, en het duurde nog drie maanden en twee weken tot de Kerst en ook al was het gisteren Kerst geweest dan had ik nog geen elektrische gitaar gekregen, al had die als enige op mijn verlanglijstje gestaan, die fiëstarode Fender Stratocaster, en een stel flappen pikken uit de huishoudpot in de derde la rechts van het dressoir in de woonkamer betekende rechtstreeks naar de gevangenis gaan, aangezien vader kassier was bij de bank op de Solli plass, en dat niet alleen, hij was hoofdkassier, wat betekende dat als het op cijfers aankwam alleen de minister van Financiën, oom Dagobert en God boven hem stonden en er ontsnapte hier in huis nog geen øre aan zijn controle. Mijn moeder was overigens meestal thuis, afgezien van een dag of twee in de maand, dan was ze weg en tevreden, en die dag, meestal een maandag, stond ze achter de toonbank bij Lunds Camera & Film in de Tidemands gate, soms mocht ze ook foto's ontwikkelen in de donkere kamer achter de winkel, en dan roken moeders vingers de hele week nog naar mysterieuze chemicaliën en alles wat ze aanraakte veranderde in foto's, zelfs ik werd, als ze een hand op mijn voorhoofd legde en me welterusten wenste, een foto die zich vermengde met andere dromen. Maar dat mag je voorlopig ook allemaal rustig vergeten. Ik zal je tijdig weer aan mijn ouders herinneren. Het enige wat je hoeft te onthouden is de elektrische gitaar, het prijskaartje, 2.250 kronen, en dat ik blut was.

Maar wat nu?

Ik had meteen naar huis kunnen gaan, mijn huiswerk voor het eten af kunnen maken en dan de rest van de avond een beetje zitten niksen terwijl ik luisterde naar de weemoedige, hopeloze opera die de bewoners in de portiek opvoerden, of ik nu wilde of niet, want de wanden waren dunner dan boterhampapier in dit gebouw, dat in de volksmond in de buurt, of in elk geval in deze straat, Het Gebit werd genoemd, waarschijnlijk vanwege de smalle zogenoemde Franse balkonnetjes, die met een beetje goede of slechte wil, het is maar hoe je het bekeek, deden denken aan een kunstgebit dat al minstens een mensenleven niet was gepoetst. Wat mij betreft had het gebouw beter De Mondholte kunnen heten. Er hing hier behoorlijk wat slechte adem. En ik hoefde niet eens mijn oor tegen het bruine behang te leggen om water en diarree vlak langs mijn kamer te horen stromen, en elke nacht hoorde ik, of ik nu wilde of niet, Gundersens waanzinnige geschreeuw als het hem allemaal te veel werd tussen de lege flessen op de bovenste verdieping en dat was vrijwel altijd, om nog maar te zwijgen van het fluiten in de woning onder ons, het eeuwige fluiten dat, naar we dachten, nooit zou ophouden, maar dat toch een keer deed, ophouden, en dat was niet op een mooie dag, en niet te vergeten de stenen van Tom Curling die op alle tijdstippen van de dag over het linoleum gleden en in 'het huis' achter het fornuis belandden. Het enige waar ik een beetje trots op kon zijn als het om de plek waar ik woonde ging, was het adres. Ik woonde in de August aveny – de Augustus Avenue. Er zijn niet veel avenues in Noorwegen, ik ken verder nog maar één andere en die ligt ergens op Bygdøy. Zelfs de koning woont niet aan een avenue. Maar ik dus wel, op de heuvel tussen de weelderige Robsahmtuin en de schuilkelder die in de oorlog door de Duitsers was gebouwd en waar vijf dode soldaten in volledig uniform schenen te liggen die nog steeds bevelen opvolgden. Er wordt gezegd dat de August aveny zijn naam heeft gekregen omdat augustus de maand is die het dichtst bij alle jaargetijden ligt. Maar genoeg daarover. Ik zou verder kunnen lopen door de weidse, verlaten straten die langzaam omhooglopen naar Skillebekk, zoals ik gewoonlijk deed, en daar verdwijnen in loof, dromen en de vergeelde refreinen van popsongs. Dat was mijn vlucht. Dat was mijn t vroost. En vooral deze regels kreeg ik niet uit mijn hoofd: *Listen, do you want to know a secret?* Ik liep via veel omwegen door de straten die ooit van mij zouden zijn en ik hoorde inwendig dat liedje, dat zowel triest als vrolijk was, snel en langzaam, maar ik luisterde vooral naar de woorden: *Listen, do you want to know a secret, do you promise not to tell.* Of ik zou hard tegen een kastanjeboom kunnen schoppen om zo de herfst te bespoedigen en de winter maar weer achter de rug te hebben. Maar toen kwam er een klant uit de winkel, een oudere heer met glimmende schoenen, beige handschoenen en een natgekamde snor, smal als een zijderups. Ik wist wie dat was, al wist hij niet wie ik was. Wie wist dat eigenlijk wel? Mijn ouders? Mijn leraren? Mijn klasgenoten? Die in elk geval niet. Niemand wist wie ik was. Daar was ik van overtuigd. Ik was onzichtbaar. Ik ging op in de omgeving. Ik had een naam, maar geen lichaam, geen gezicht. Als ik 's avonds naar bed ging, trof ik alleen een klerenhanger aan, van gedraaid staaldraad, waar ik mijn pyjama op kon hangen en als ik geluk had, was mijn moeder in de donkere kamer geweest en wist ze mijn ogen een fractie van een seconde te fixeren voordat ook die in mijn dromen verdwenen. Ik herinner me dat iemand ooit tegen me zei: 'Jij hebt zulke mooie ogen.' Ik voelde me beledigd, nee, niet beledigd, ik werd bang. Betekent dat dat de rest van mij lelijk is, of niet te zien, dacht ik. Was het gewoon een beleefde manier om te zeggen dat ik onzichtbaar of lelijk was? Je hebt zulke mooie ogen. Maar de man die nu uit Bruns Muziekhandel kwam, was tussen de beide wereldoorlogen een beroemd pianist in Europa geweest en er werd gezegd dat ook Amerika aan zijn voeten had gelegen. Hij had in de allergrootste zalen gespeeld, Carnegie Hall en La Scala, om er slechts een paar te noemen. Nu was hij repetitor bij de revue in Chat Noir. Hij hield een lichtgroen boekje met bladmuziek in zijn ene hand, in de andere had hij een zwarte paraplu. En in het knoopsgat van zijn lange kameelharen jas had hij een bloem gestoken, een blauwe bloem, en ik herkende de geur van die dode bloem, een bijzonder, omgekeerd parfum, en deze stokoude muzikant, afgedankt en opgedoft, die mij niet eens ziet en die ook verder niet meer zal opduiken, dat kan ik beloven, maar die alleen maar langsloopt, hooghartig en toevallig, met een blauwe bloem in zijn knoopsgat, is toch de naad van dit verhaal, hij is de moeizame overgang, het stiksel dat je niet hoort te zien, en ik zal een ijverige kleermaker zijn die de stof naait met draden van tijd, want op het moment dat hij de zoetige, bijna weeë geur met zich meenam en voorgoed om de dichtstbijzijnde hoek verdween, wist ik dat er maar één mogelijkheid was waar ik nog niet aan gedacht had en dat ik juist dat, waar ik nog niet aan gedacht had, nu moest doen.

Ik holde linea recta naar de Niels Juels gate en bleef voor een andere etalage staan, buiten adem, ongeduldig, maar wat hier stond uitgestald was niet iets wat ik begeerde, wilde hebben, waar ik van droomde of naar verlangde. Ik begeerde alleen maar waar deze dingen in konden worden omgezet, namelijk geld, en was het me, als puntje bij paaltje kwam, ook weer niet om het geld te doen, met dat geld zou ik natuurlijk de gitaar kopen, want wat moest ik met geld als ik het nergens aan uitgaf, het in mijn matras verstopte, het op mijn Djosclubspaarboekje zette en 40 øre rente kreeg, o nee, ik zou 2.250 kronen verdienen, niet meer en niet minder, dat was precies wat de gitaar kostte, en ik geloof dat ik toen iets begreep, in de periferie van deze vermoeiende gedachtegang, namelijk dat je om iets te bereiken iets heel anders moest doen, de meeste dingen in de wereld zijn een middel, zoals cijfers, slaap, statiegeld, levensverzekeringen, reflexen, levertraan, beleefdheid en paraplu's, maar wat een middel voor de een is, is het doel voor een ander, en om een doel te bereiken, dat dus net zo goed een middel kan zijn, moet je lange, dubieuze omwegen maken, soms zo lang dat je bijna verdwaalt en vergeet waar je naartoe wilt. Dat zou ík niet vergeten. De etalage stond vol bloemen. Bloemen waren mijn middel. Die zouden me naar de elektrische gitaar leiden. Aan de andere kant van dat grote bloemenperk groeide een fiëstarode Fender Stratocaster. Ik stond, met andere woorden, voor Finsens Flora.

Op 10 september 1965 telde Noorwegen 3.707.966 inwoners, mezelf niet meegerekend.

Daarvan woonden er 483.196 in Oslo, en dan reken ik mezelf nog steeds niet mee.

Elke dag, ook deze dag, een woensdag, werden er 173 kinderen geboren, terwijl 101 mensen stierven.

Er vonden 1,8 miljoen telefoongesprekken plaats, 65 stelletjes trouwden en 6 echtparen scheidden, 20 mensen raakten gewond bij verkeersongelukken, 13 moesten naar de gevangenis, 90.000 mensen gingen naar de bioscoop en er werd 244.000 liter bier gedronken, iets waar Gundersen uit onze portiek flink aan meehielp.

Het merkwaardigste was echter dat 71% van alle Noren in een leven na de dood geloofde, terwijl slechts 28% geloofde in God. Hoe zat dat? Van de mensen die in een leven na de dood geloofden, geloofde 43% dus niet in God. Ja, ja. Die wilden dus van twee walletjes eten. Die wilden er hier op aarde zo veel mogelijk op los leven met bier, scheidingen, bioscoop en gevangenis. En toch wilden ze aanspraak kunnen maken op het eeuwige leven. Stel dat ze naar de hel gingen?

Daar dacht ik een poosje over na.

Maar hier dacht ik vooral over na: hoeveel boeketten worden er op zo'n dag gestuurd?

Dat konden er niet te weinig zijn, in elk geval minstens evenveel als er sterfgevallen en geboortes waren, dus 274 boeketten, en mensen die gewond raakten bij verkeersongevallen en die trouwden kregen uiteraard ook bloemen, ik twijfelde wat meer bij de mensen die scheidden of naar de gevangenis moesten, maar je kon nooit weten, misschien kregen die lelijke bloemen, vol doorns, wespen en meikevers, en ik nam aan dat een aantal van degenen die al dat bier dronken, vast nadat ze naar de bioscoop waren geweest, de dag erop ook iemand bloemen stuurde, morgen dus, maar dit gebeurde in die tijd immers elke dag in Noorwegen, daarom waren gisteren ook mensen naar de bioscoop geweest, hadden ze 224.000 liter bier gedronken en vandaag iemand bloemen gestuurd.

Ik deed de deur van Finsens Flora open en stapte naar binnen.

Er rinkelde een bel toen de deur achter me dichtviel.

Er was niemand.

Ik bleef staan wachten tussen boeketten in alle kleuren, bloemstukjes in allerlei vormen en mos, kransen, gras, cactussen, varens, lianen, dennentakken, ik stond midden in een oerwoud in de Niels Juels gate.

Er sijpelden druppels langs de bladeren, het drupte van het plafond en al snel begon de etalageruit te beslaan, een warme, groene regen tussen mij en de wereld en de lucht was zo zwaar dat je waarschijnlijk Europees kampioen gewichtheffen moest zijn om hier lang rechtop te kunnen staan.

Zelfs de kassa, waar de briefjes van vijftig bloeiden op koperen steeltjes, zweette.

'Hallo?' fluisterde ik. 'Hallo?'

Eindelijk kwam er iemand uit het achterkamertje de drie treden naar de toonbank naar beneden. Het was een vrouw. Ze was in elk geval niet Europees kampioen gewichtheffen voor vrouwen, als die al bestonden, in Hongarije misschien,

19

met de kogelslingeraarsters daar, nee, integendeel, ze was zo plat dat ik ongetwijfeld een plekje voor haar had kunnen vinden in mijn herbarium, of in mijn postzegelalbum. Ze droeg een blauwe, knisperende, lange stofjas. Haar haar leek op een grijze kroon boven haar bleke, spitse gezicht. Ze leek op een Belgische koningin. Ze had een roos in haar ene hand, een mes in de andere.

Toen kreeg ze mij in het oog.

Ze leunde met haar ellebogen op de toonbank terwijl ze verderging met doorns afsnijden.

'Jij bent er vroeg bij voor Moederdag', zei ze.

Daar had ik niet aan gedacht.

'Hebben jullie een bloemenbezorger nodig?' vroeg ik.

De Belgische koningin keek me weer aan.

'Dan moet je met Finsen zelf praten.'

Ze wees naar het achterkamertje.

Ik liep langs haar heen en stapte naar binnen. In de hoek stond een kachel. Op een tafel lagen stapels papier en oude kranten, *Aftenposten*, alleen de *Aftenposten*. Langs de muren lagen pakketjes, de in wit papier verpakte boeketten, met oranje adreskaartjes eraan. Onder een spiegel stond een kraan open en de gordijnen voor het enige raam waren dicht.

Ik bleef staan, in een hoop stelen en bladeren.

De man die Finsen Zelf moest zijn, zat op een draaistoel, met zijn rug naar me toe. Hij droeg ook een stofjas, maar deze was grijs. Er steeg rook op van zijn hoofd.

'Zeg het eens', zei hij.

Zijn stem was schor en ongeduldig, alsof hij al sinds zijn geboorte verkouden was, en dat moet zijn geweest voordat de hoestdrank werd uitgevonden.

Voor de tweede keer vroeg ik: 'Hebben jullie een bloe-menbezorger nodig?'

Finsen Zelf zei een poosje niets. Zijn hoofd bleef maar roken. Hij hoestte lelijk. Zijn schouders schokten. Toen ontspande hij.

Hij zei: 'Jullie? Ben ik vandaag meervoud? Ben ik ko-ninklijk? Nou? Of zie jij dubbel? Heb je gedronken? Dan kun je geen bloemenbezorger worden.'

Hij verwarde me. En als ik ergens een hekel aan heb, dan is het wel verwarring. Verwarring en leedvermaak zijn hetzelfde. Ik kreeg zin om weg te lopen. Maar toen zag ik, voor mijn innerlijk oog, zoals dat ook wel heet, een levendig beeld van de rode Fender Stratocaster en in plaats van ervandoor te gaan stapte ik tussen de stelen en de bladeren naar voren en vroeg, en dat was dus de derde keer sinds de deur achter me dichtgegleden was in Finsens Flora: 'Heb jíj een bloemenbezorger nodig?'

Ik twijfelde even of ik 'u' had moeten zeggen en ging ervan uit dat ik de slag verloren had. Maar toen draaide Finsen Zelf zijn stoel om en nam me van top tot teen op. Zijn vingers waren absoluut niet groen, ze waren geel, bruin bijna, aan beide handen zelfs, misschien rookte hij twee sigaretten tegelijk als de nood werkelijk hoog was.

Hij tilde de kleinste peuk ter wereld op en inhaleerde met zijn hele gezicht.

'Waar woon je?' vroeg hij.

'Skillebekk.'

'Skillebekk? Skillebekk is een heel continent, jongen. Als een klant bloemen bestelt, denk je dan dat het genoeg is om te zeggen dat ze naar Skillebekk moeten worden gestuurd?

Of Noorwegen? Of de wereld? Stuur ze naar de wereld, eerste verdieping rechts. Nou?'

'August aveny', zei ik.

Finsen Zelf keek me lang aan en glimlachte met de helft van zijn mond.

'August aveny? Probeer je me te testen? Probeer je dat nou echt?'

'Ik zeg alleen maar waar ik woon.'

'En jij zegt dat je in de August aveny woont.'

'Weet je niet waar de August aveny is?'

Finsen Zelf lachte nu met zijn hele mond.

'Wie weet niet waar de August aveny is? Dat weet iedereen. De vraag is eerder of jij weet waar jij bent.'

Nu bracht hij me weer in verwarring. Ik heb er dus een hekel aan om in verwarring gebracht te worden. Dat is een rottruc. De greep van de verwarring is van ijzer en dat is precies waar mensen je willen hebben, in hun ijzeren greep.

'Finsens Flora', zei ik.

Hij trok zijn mond strak.

'Maar hoe heet de straat tussen Tinker'n en Bananen?'

Ik moest even nadenken.

'De Strandpromenade', zei ik.

'De Strandpromenade? Kijk aan, ja, ja. Is de Strandpromenade een straat? Heb ik een bloemenbezorger nodig die denkt dat de Strandpromenade een straat is? Als de Strandpromenade een straat was dan had hij wel Strandgate geheten. En de Strandgate ligt heel ergens anders. Is dat zo moeilijk te begrijpen?'

'Nee.'

Ik was al op weg naar buiten. Ik was ontslagen. Ik was

de laan uitgestuurd nog voordat ik was aangenomen. Misschien was dat wel een record.

Finsen Zelf kwam achter me aan. Ik dacht dat hij me van achteren neer zou slaan.

'Hoe heet je? Je weet hoe ik heet. Waarom mag ik dan niet weten hoe jij heet? Is het misschien niet een kwestie van normale beleefdheid dat jij je voorstelt als mijn naam met grote letters op de hele voorgevel staat?'

Ik bleef staan en noemde mijn volledige naam.

'Heb je een fiets?'

'Een DBS. Met ballonbanden.'

'En wanneer kun je beginnen?'

Ik draaide me om.

'Wat?'

Finsen Zelf wapperde ongeduldig met zijn handen en gooide zijn peuk in een vaas, waar hij siste als een pissige wesp.

'Ben je doof of zo? Heb ik een bloemenbezorger nodig die ook nog eens doof is? Moet ik alles twee keer vragen? Wanneer kun je beginnen?'

'Morgen', zei ik.

'Je krijgt 1 kroon per pakketje in Oslo 2, en gelukkig wonen de meeste klanten daar. Ten noorden van Adamstuen, ten westen van Hoff en ten oosten van Vestbanen krijg je een kroon en 50 øre. En de fooien mag je houden. Heb je dat begrepen?'

Dat betekende dat ik minstens 1.500 boeketten moest bezorgen voordat ik geld genoeg had voor de Fender Stratocaster en als ik elke dag vijf boeketten bezorgde, afgezien van zondag en in de vakanties, dan zou het ongeveer een jaar kosten voordat de gitaar van mij was, volgend jaar herfst dus, en dat was een onafzienbare tijd, dat was een hele kalender met blaadjes van lood, het was een Sahara van seconden waar ik me blootsvoets doorheen moest slepen voordat ik mijn hand op de ranke esdoornhouten hals van de gitaar kon leggen. De moed begon me in de schoenen te zinken. Maar had ik een keus? Moest ik misschien gaan drinken, lege flessen verzamelen en daarna van het statiegeld leven, zoals Gundersen van driehoog? Nee, dank je feestelijk.

'Ik heb het begrepen', zei ik.

Finsen Zelf koos na veel wikken en wegen een ingepakt boeket uit en wees met de grootste van zijn bruine vingers op het adreskaartje.

'Zie je dit? Je scheurt het onderste gedeelte af langs de stippellijn en hier moet de klant, of een lid van het huisgezin, tekenen en de precieze datum en tijd opschrijven alvorens de bloemen mogen worden overhandigd, om elk misverstand bij de levering te vermijden, en je mag onder geen beding over de drempel stappen, tenzij je nadrukkelijk binnen wordt gevraagd, misschien omdat het koud is in de portiek en de klant niet meer geld aan stroom wil uitgeven dan absoluut noodzakelijk is. Kun je het belangrijkste van wat ik net heb gezegd herhalen?'

'Dat ik voor de deur moet blijven staan.'

'Dus jij denkt dat dat het belangrijkste is, hm? Of doe je gewoon alsof dat het belangrijkste is omdat dat het laatste is wat ik heb gezegd en het enige wat jij je herinnert? Heb je ook nog een slecht geheugen? Denk je soms dat ik je niet meteen doorheb? Wat moet ik in vredesnaam met een bloemenbezorger die een slecht geheugen heeft, nauwelijks kan horen en die dubbel ziet?'

'Het belangrijkste is dat de klant moet tekenen', zei ik.

'Je komt in de buurt.'

'En de datum en het tijdstip opschrijft.'

Meer wist ik niet te zeggen.

Finsen Zelf kwam een stap dichterbij. Zo dicht bij hem staan was alsof je een heel pakje Teddysigaretten zonder filter rookte.

'Het belangrijkste is dat de klant tekent vóórdat je de bloemen aflevert. Hoe zou ik anders mijn winkel draaiende kunnen houden?'

'Begrepen', zei ik.

'En nog iets. Als de klant niet thuis is, bel je aan bij de naaste buren en vraagt hun de bloemen in ontvangst te nemen en op dezelfde manier de kwitantie te ondertekenen, en als niemand in het hele gebouw thuis is, neem je het pakje mee terug naar de winkel. Bloemen mogen onder geen, hoor je, geen beding worden achtergelaten voor de deur van de klant. Op een dergelijke misdaad staat de doodstraf volgens het bloemistenwetboek, paragraaf achttien. Is dat ook luid en duidelijk begrepen?'

Ik bevond me op de rand van een zenuwinzinking of een bedorven maag.

'Ja', fluisterde ik.

'Kun je trouwens lezen?'

'Ja, absoluut.'

Hij wees op het adreskaartje.

'En wat staat hier dan?'

Ik las hardop: 'Halvor Wight. Mogens Thorsens gate 31a. Oslo 2.'

'En dat is op weg naar?'

'Skillebekk', antwoordde ik.

Finsen Zelf glimlachte. De tanden in zijn mond leken op zijn vingers.

'Wanneer zei je ook alweer dat je kon beginnen?'

'Morgen.'

'Fout. Vandaag.'

Hij gaf mij het pakketje. Ik bleef ermee in mijn handen staan. Het was een bijzonder moment, dat zich in mijn geheugen nestelde. Dit waren mijn eerste bloemen.

'Bedankt', zei ik.

'Hou je mond en neem deze mee.'

Het was een balpen.

Ik droeg het pakketje voorzichtig de drie treden af, de winkel in, en liep al net zo voorzichtig over de gladde vloer. Daar hield de vrouw die mevrouw Finsen Zelf moest zijn de deur voor me open. Toen ik langs haar heen liep zei ze: 'Dus jij bent onze nieuwe bloemenbezorger?'

Ik knikte.

Ze leunde op mijn schouder en keek me te lang aan.

'Weet je waarom hij je heeft aangenomen?' vroeg ze.

'Eigenlijk niet.'

'Omdat je eruitziet als iemand die precies doet wat hij zegt.'

De deur gleed achter me dicht.

Er hing een licht regentje in de lucht.

Ik keek omhoog, naar de hemel. De meeuwen waren van glas. Alles was doorzichtig. Ik kon helemaal tot aan Gods kantoor kijken. Dat was leeg.

Wat had die stijve stofjas gezegd?

Je ziet eruit als iemand die doet wat hij zegt.

Niemand had het ooit zo duidelijk onder woorden gebracht.

En ik heb me vaak afgevraagd of mijn inborst, mijn gehoorzame inborst, ook zichtbaar is in mijn gelaatstrekken, als een brandmerk waaraan ik niet kan ontkomen, het brandmerk van de beleefde slaaf, een uitgestoken hand, en die beleefdheid is niks anders dan de gladgestreken garderobe van de angst.

Als iemand zei dat je mooie ogen had, dan was dat gewoon een afleidingsmanoeuvre.

Jaren later, wat niet zo heel lang geleden is, schreef ik het volgende: een verhaal is de enige plek waar ongehoorzaamheid een deugd is.

Maar laat dat geen schaduw werpen op deze dag.

Ik richtte mijn blik weer naar de aarde en liep door de Niels Juels gate, langs de tramrails in de Frognervei, ik stak de Bygdøy allé over en zag al een kastanje vallen en bij de volgende hoek kon ik zo de Mogens Thorsens gate inslaan, die was vernoemd naar de scheepsreder die de Mogens Thorsen en Echtgenote Stichting had opgericht en in deze straat een appartementengebouw voor 'weduwen en oudere jongejuffrouwen' had laten bouwen. Het was een makkie. Ik vond nummer 31. Dat was ook een makkie. Rechts waren de oneven nummers en links de even. Zo was dat in alle straten. Iemand moest aan bloemenbezorgers hebben gedacht toen deze stad werd ontworpen. Maar portiek A kon ik niet zo snel vinden en ik begreep dat Finsen Zelf me wilde testen. C en B kon ik met het blote oog zien, maar ik moest minstens twee keer langs het gebouw lopen, waar de wilde wingerd als gloeiende gordijnen voor de ramen was getrokken, zonder ook maar iets wat op portiek A leek te kunnen ontdekken, en ik vervloekte degenen die dit duivelse systeem hadden bedacht, met A, B en C, en misschien zelfs wel met D, E en F, gewoon omdat ze nog een paar portieken overhadden.

Het was bijna vier uur. Ik begon in paniek te raken. Het scheelde niet veel of ik moest bij het Rode Kruis worden opgenomen. Ik moest het iemand vragen. Voor portiek B zat de krantenbezorger op zijn karretje koffie te drinken uit een rode thermoskan. Het was de bezorger die ook bij ons de *Aftenposten* bracht. Hij liep al met de *Aftenposten* sinds die krant in 1860 was opgericht. Er was niemand anders die ik iets kon vragen. Dus vroeg ik het hem. Hij nam ruim de tijd. Ik kon de hele avondeditie uitlezen voordat hij zich verwaardigde me antwoord te geven. Daar stond bijvoorbeeld in dat Gyula Zsivotsky een nieuw record kogelslingeren had gevestigd en dat er morgen, 11 september 1965 dus, meer regen werd verwacht. Tijdens de oorlog liep de krantenbezorger niet met de *Aftenposten*. Toen balanceerde hij op de boeg van een schip dat in de Noordzee werd getorpedeerd. En deze krantenbezorger blijft niet in dit verhaal, hij komt tussen de regels door voorbij, als een toerist op weg van het ene land naar het andere, afgezien van het feit dat hij bij ons de krant bezorgt, twee keer per dag, tot hij doodgaat, in een tehuis in de Bergsliens gate, Kerst 1973, zonder medailles maar met een glimmend zwart speldje op zijn versleten revers, er klonk geen gejuich, slechts het geluid van zijn kameraden die hun nagels en vingers kapotschrapen terwijl ze wegglijden langs de scheepsromp.

'Ben jij niet de zoon van de bankdirecteur?' vroeg hij.

Ik knikte en liet hem in die waan.

'En nu ben je bloemenbezorger?'

'Bij Finsen Zelf.'

De krantenbezorger schroefde met trillende handen het bekertje op de thermoskan en kwam langzaam overeind.

'Als je me maar niet voor de voeten loopt.'

'Tuurlijk niet.'

'Want ik was hier eerst.'

'Tuurlijk was je dat.'

'Dat dat maar even gezegd is.'

'Tuurlijk.'

De krantenbezorger ontspande enigszins na dit heftige gesprek en wees ten slotte naar een punt verderop in de straat.

'31a, snap je, is een lastige. Want 31a vind je niet in hetzelfde gebouw als 31b en 31c, maar in de Bygdøy allé 26, dat de ingang aan de Fredrik Stangs gate heeft. Wie het snapt mag het zeggen.'

Ik schudde mijn hoofd.

'Ik in elk geval niet.'

Ik rende de hoek van de Fredrik Stangs gate om, naar de ingang daar, terwijl de bezorger me triomfantelijk nariep: 'Maar nu weet je het!'

En zowaar, daar vond ik portiek A, ik vond Halvor Wights naambordje en ik vond zijn deur op de eerste verdieping rechts. Iets vinden is gemakkelijk als je weet waar je moet zoeken. Als je dat niet weet, vind je iets anders en wat heb je daar aan? De wereld is te groot. Het heeft geen zin om in Amerika naar een speld te zoeken als je die in

Afrika bent verloren. Ik haalde snel mijn kam door mijn haar, scheurde het onderste gedeelte van het adreskaartje af, haalde de balpen tevoorschijn en belde aan. Er gebeurde niks. Ik belde weer aan. Er gebeurde weer niks. Misschien was Halvor Wight dood en kwamen deze bloemen te laat voor zijn begrafenis. Ik moest drie keer aanbellen. Toen hoorde ik iets aankomen, van ergens ver weg, uit de diepe jungle van het appartement, het was het onmiskenbare geluid van pantoffels en mens. Het duurde een paar uur. Ik vroeg me af wat ik moest zeggen. Daar had Finsen Zelf niks over gezegd. Halvor Wight, *I presume*. De deur ging open. Een kromgebogen man in een nethemd, bretels en, zoals gezegd, pantoffels stond voor me. Hij leek erg achterdochtig, nijdig bijna.

'Ik kom bloemen brengen', zei ik.

Ik gaf hem het strookje en de balpen. Hij leek niet langer achterdochtig of nijdig, maar in de war.

'Voor mij?'

'U moet daar uw naam, de datum en het tijdstip noteren.'

Hij aarzelde.

'Weet je zeker dat ze voor mij zijn?'

'Als u Halvor Wight bent, Mogens Thorsens gate 31a, Oslo 2?'

'Dat ben ik.'

'Dan zijn ze voor u. Tenzij er nog meer Halvor Wights, Mogens Thorsens gate 31a, Oslo 2 zijn.'

Hij schudde langzaam zijn hoofd en schreef zijn naam op het strookje, aarzelde toen weer.

'Wat voor datum is het?' vroeg hij.

'Het is tien voor vier, 10 september 1965', zei ik.

Hij schreef langzaam en nauwkeurig, gaf me uiteindelijk het strookje en de balpen terug, toen was de tijd gekomen om hem het pakketje te overhandigen en hij pakte dat met beide handen aan.

'Alstublieft, dank u wel', zei ik.

'Wacht even', zei hij.

Halvor Wight bleef ongeveer een uur weg. Ik dacht dat hij misschien eerst de bloemen in het water wilde zetten, om te zien of ze het wel deden. Maar toen hij terugkwam, pakte hij mijn hand vast en drukte er een bankbiljet in, een briefje van vijf, een echt briefje van vijf, en ik ving slechts een glimp op van zijn gezicht toen hij de deur weer dicht-deed, en Halvor Wight was niet meer nijdig, achterdoch-tig of in de war. Hij was verzaligd, ontroerd, ja, verlost is ook een woord dat ik vandaag de dag zou willen gebruiken. Halvor Wight was verlost. Ik was de bloemenbezorger. Ik was de tussenpersoon. Ik bracht vreugde. Ik bracht zoete geuren in bedompte trappenhuizen. Ik leverde licht af in donkere halletjes en toverde de glimlach terug op gezichten. Ik was ook ontroerd. Het was wederzijds. Want ik werd betaald. Ik kreeg loon voor deze heilige taak. Ik was, met andere woorden, één strookje en 5 kronen fooi dichter bij de elektrische gitaar. Als het zo doorging kon die van mij zijn voordat de kastanjes bloeiden in de Bygdøy allé.

Maar zodra ik buiten op de stoep stond kwam er een vraag naar boven en die vraag zou deze hele herfst blij-ven rondmalen, hij was als een blaar, een steentje in mijn schoen, want ik kreeg maar geen antwoord: wie stuurde de oude, sjofele Halvor Wight bloemen? Wie stuurde überhaupt bloemen naar al die mensen bij wie ik binnenkort zou aanbellen in deze stad?

De wegen van een bloemenbezorger zijn ondoorgrondelijk.

Ik holde door de akoestische regen naar huis, naar de August aveny.

Moeder was in de keuken de tafel aan het dekken.

'Je bent laat!' riep ze.

Ik liep snel naar mijn kamer en verstopte het vijfje in een schoenendoos waar ooit een paar sandalen met dubbele gespen in had gezeten en die ik heel simpel *kluis voor fooien en andere onvoorspelbare inkomsten* noemde. Alleen ik, en niemand anders, had toestemming om die te openen. Het strookje met Halvor Wights handtekening, datum, tijdstip en jaartal stopte ik in mijn lege etui van twee jaar geleden en noemde dat *archief voor alles wat ik nog te goed heb*. In een leeg kladschrift noteerde ik mijn eerste adres, opdat ik het niet zou vergeten: Mogens Thorsens gate 31a. Dit schrift kreeg na verloop van tijd de titel *Bijbel van de Bloemenbezorger*, een atlas voor rechtzinnige tussenpersonen.

Het was ook duidelijk dat ik een zekere opleiding tot bloemenbezorger moest zien te krijgen. Dat kon ik bijvoorbeeld doen door het stadslexicon van Oslo nauwgezet te bestuderen. Daarin las ik onder andere hoe de huisnummers geordend waren, namelijk zo, dat de nummers van een zijstraat beginnen in de hoofdstraat waaraan ze ontspringen en dat het zo zou moeten zijn dat de portieken altijd een nummer hebben in de straat waarop ze uitkijken. Als bloemenbezorger kon ik het daar alleen maar hartgrondig mee eens zijn. Het was ongehoord dat een huisnummer in de Mogens Thorsens gate een ingang in de Fredrik Stangs gate had. Dat klopte domweg van geen kanten. Maar ik mocht allang blij zijn dat de stad überhaupt straatnaambordjes had, die waren pas in 1759 in zwang gekomen en tot die tijd hadden de gebouwen namen gehad en kon je ze op die manier vinden. Nu moest ik al die plekken en adressen uit mijn hoofd leren die een bijzondere, precieze poëzie in zich hadden waar ik destijds nog niet ten volle van wist te genieten, zoals de Rødfyllgata, Christensens løkke, Røverstatene Algier, Tunis en Tripolis, Sorgenfri, Blåsen, Stupinngata, Slåmotgangen en Jerusalems mølle, namen die als liederen klonken uit de benauwde straten en stegen tussen de lantaarns en de riolen. Ik was alleen teleurgesteld dat ik de August aveny niet kon vinden in dit lexicon, maar als puntje bij paaltje kwam, maakte dat niet uit, als iemand hier tegen alle verwachting in bloemen zou bestellen, wist ik immers sowieso wel waar ik naartoe moest.

Wat ik trouwens niet wist, was dat er volgens de laatste telling van Staatsbosbeheer in 1951 tien miljoen naaldbomen in Oslo stonden. Je vergeet snel dat Nordmarka, het bosgebied rond de stad, ook bij Oslo hoort. Er waren, met andere woorden, ongeveer tien keer zo veel naaldbomen als mensen in Oslo. Daar stond je toch wel even van te kijken. Ik woonde in een stad waar de mensen in de minderheid waren. Oslo was voornamelijk natuur. Maar ik ging er vooralsnog niet van uit dat ik erg veel bloemen zou moeten bezorgen op afgelegen plekken als Zinober, Slakteren of Oppkuven.

Daarna stond ik een poosje voor het raam, erg tevreden met het leven. In deze tijd van het jaar was het bijna mogelijk om de Oslofjord te zien liggen achter de zwarte takken in de tuin van Robsahm. Het water leek op het blad van een pasgeslepen bijl die recht in de stad was geslagen en die het Raadhuis doormidden kliefde. De allerlaatste zeilboot leunde tegen het glimmende staal. Ik kon me niet herinneren ooit zo tevreden met mijn leven geweest te zijn. In meer dan dertien jaar, dus sinds ik geboren was in de kraamkliniek in de Josefines gate, volgens de geruchten met mijn voeten eerst, had ik min of meer in het ongewisse geleefd, in onbalans, in onrust, alsof er iets kapot was in mijn hoofd, of nog niet gerepareerd, maar op dit moment, zolang het duurde, en de uitgestrektheid van het ogenblik is zowel eindeloos als begrensd, begrensd in tijd en eindeloos op de schaal van de herinnering, dat is wat we de stamina van het ogenblik noemen, op dit moment dus vielen alle stukjes op hun plek. Ik kon niet anders concluderen dan dat ik mijn bestemming had gevonden.

Toen kwam mijn vader thuis van de bank. Ik hoorde dat hij zoals altijd zijn tas neerzette, zijn handen waste en een ander overhemd aantrok. Vlak daarna riepen ze me. Ik liep naar de keuken en ging bij hen aan tafel zitten.

'Waar was je?' vroeg moeder.

Hier zou ik misschien een nauwkeurige beschrijving moeten geven van wat we die woensdag, de tiende september 1965, aten, een van die eindeloze, literaire menu's die de portretten van jonge, melancholieke jongens in het naoorlogse Oslo, Noorwegen, geloofwaardiger moeten maken, voedzame en magere metaforen die de kenmerken van deze epoche in onze geschiedenis moeten onderstrepen, namelijk nuchterheid, spaarzaamheid en zuinigheid, deugden die allang belachelijk zijn gemaakt en op de schroothoop zijn beland. Daarnaast zijn dat soort schilderingen van de simpele geneugten van de tafel waar de gezinnen zich op vaste, onwrikbare tijdstippen rond verzamelden en die het etmaal een eigen ritme en orde gaven, ook bedoeld om een licht werpen op het kruis van alle huisvrouwen; elke week zeven verschillende avondmaaltijden op tafel zetten, iets wat het uiterste vergde van hun vindingrijkheid en hun denkvermogen. Elke maaltijd was een nieuwe fabel gebaseerd op een waar verhaal: aardappelen. Maar ik weet eerlijk gezegd niet meer wat we aten. En waarom zou ik in godsnaam een halve eeuw later ook nog weten wat we op een woensdagavond midden in de week aten? Alsof het geheugen niks beters heeft om op te slaan. Als dit niet voldoende excuus is, wil ik best zeggen dat we waarschijnlijk een ovenschotel met vis aten, dat we water dronken kan ik met zekerheid zeggen, dat deden we elke dag, behalve zondags, dan dronk vader bier, moeder dronk wijn en ik dronk nog steeds water, en wat dessert betreft is het absoluut niet onmogelijk dat we elk een bakje yoghurt met een theelepel suiker aten, en als dat nog niet genoeg is, kan ik ook nog de enigszins droge cake van vorige zaterdag noemen die moeder later op de avond bij de koffie serveerde. Het heeft geen enkele zin om me tegen te spreken. Want deze maaltijd, woensdag 10 september 1965, in de August aveny, is uit het geheugen en de archieven gewist. Ik had sowieso geen honger.

'In mijn kamer', antwoordde ik.

'Onzin. Heb je weer op straat lopen dromen?'

'Ik heb een baantje.'

'Een baantje? Wat voor baantje?'

'Bloemenbezorger bij Finsens Flora.'

Vader en moeder keken elkaar aan. Het was het soort blik dat een eigen taal vormt, de grammatica van de grimassen, en die alleen oude echtparen kunnen begrijpen, en als ze sterven, of als een van hen sterft, sterft die taal met hen uit en wordt het woordenboek van de gezichten gesloten, want elk echtpaar heeft zijn eigen dialect, en er zijn er twee voor nodig om dat te spreken, een opgetrokken wenkbrauw kan bij sommige stellen een uitroepteken betekenen en bij andere een dubbele punt, een geloken ooglid betekent hier huisarrest en ergens anders vergiffenis. Ik liet hen hun gang gaan. Uiteindelijk zei mijn moeder, in het ABN: 'Als je school er maar niet onder lijdt.'

'Ik werk maar drie dagen in de week. Na schooltijd.'

Vader schonk water in mijn glas.

'En waar ga je het geld dat je verdient voor gebruiken?'

'Een Fender Stratocaster.'

'Een fender wat?'

Ik zuchtte diep. Er waren zo veel dingen die ze niet wisten. En ze wisten niet eens dat ze het niet wisten totdat iemand hun dat met hoofdletters vertelde.

'Een elektrische gitaar.'

Vader en moeder keken elkaar weer aan. Moeder legde haar wijsvinger op haar wang en trok de huid naar beneden terwijl ze haar linkerooglid optilde. Vader dronk zijn glas leeg en draaide zich om naar mij.

'En wat moet jij met een elektrische gitaar?' vroeg hij.

Moest ik daar echt antwoord op geven? Mocht je in deze stad dan alles zomaar ongestraft vragen? Konden ze zich niet gewoon bij hun eigen dialect houden en oog in oog met elkaar praten?

'Elektrische gitaar spelen', zei ik.

'Maar jij kunt helemaal niet gitaarspelen', zei mijn vader.

Ik was een en al geduld en begrip.

'Ik kan pas gitaarspelen als ik een gitaar heb. Daarom ga ik juist een Fender Stratocaster kopen.'

Vader tilde zijn bestek op en legde het weer neer.

'Zou je het geld niet liever aan iets nuttigs besteden?'

Ik legde mijn bestek ook neer.

'Zoals wat dan, bijvoorbeeld?'

'Zoals een lexicon, bijvoorbeeld', zei vader.

'Ik heb al een lexicon.'

Vader lachte.

'Ik bedoel een echt lexicon. In twaalf delen. Een encyclopedie! Waar alles in staat wat je moet weten. Van A tot Å!'

Ik vroeg of ik van tafel mocht en liep terug naar mijn kamer. Daar deed ik mijn best om mijn huiswerk te maken, maar als ik een zin gelezen had, was ik die alweer vergeten zodra ik aan de volgende begon. Bjørnstjerne Bjørnson en Sigrid Undset kregen de Nobelprijs voor Literatuur. Henrik Ibsen had die nooit gekregen, misschien omdat hij zo veel in het buitenland woonde, vooral in Italië, en vanaf die afstand bekeek hij Noorwegen met een niet altijd even welgevallig oog, hij dacht blijkbaar dat hij ons, Noren, scherper kon zien naarmate hij verder weg woonde van de kou waarmee wij moeten leven. Dat begreep ik niet helemaal. Dat moest ik niet vergeten. Hij schreef ooit dat Noorwegen een vrij land was, bevolkt door onvrije mensen. Misschien was dat de reden dat de straat die zijn naam droeg bijna in de schaduw van Oslo lag, een onaanzienlijk achterafstraatje dat op geen enkele wijze zijn oeuvre weerspiegelde, nee, het was eerder een staaltje slechte scenografie. En later werd er een parkeergarage naar hem vernoemd, een nog armzaligere toneelaanwijzing, die thuishoort in B-films met kleine budgetten, een beleefde belediging, een geraffineerde lange neus, net zoals het boorplatform in het Ekofiskveld naar Alexander Kielland werd vernoemd, totdat het daar, ver weg op zee, op de avond van 27 maart 1980 kapseisde, terwijl de bemanning in de twee bioscoopzalen zat te kijken naar, heeft iemand me verteld, *A Fistful of Dollars* met Clint Eastwood. In Noorwegen moeten schrijvers vooral nuttig zijn, op de een of andere manier. Al deze dingen stonden, om voor de hand liggende redenen, destijds nog niet in mijn schoolboek. Het was nog niet gebeurd en hoe kon het dan in mijn schoolboek staan? In schoolboeken staat alleen wat al gebeurd is. Maar er stond wel dat Knut Hamsun ook de Nobelprijs voor Literatuur had gekregen, voor *Hoe het groeide*, in 1920, maar hij koos tijdens de oorlog helaas de kant van de Duitsers en honderd grote romans wegen nooit op tegen een enkele Noorse nazi en er bestaat in Oslo niet één straat die zijn naam draagt.

Ik sloeg de literatuurgeschiedenis dicht en hoorde opeens *Do you want to know a secret*, uit een radio in een huis ergens vlakbij waar ik niemand kende. Dat was onmogelijk. Jawel, het was wel mogelijk. Ik hoorde het niet alleen in mijn hoofd, als een muzikale luchtspiegeling, een oase van gitaren, drums en zang. Toen werd de radio uitgezet en ik zong door, zonder geluid: *Do you promise not to tell.* Het regende nog steeds. De fjord duwde de duisternis dichterbij. Plotseling hing er een bliksemflits schuin aan de hemel. God had de stekker in het stopcontact gedaan. De regen was elektrisch. Ik ging naar bed. Mijn moeder kwam me welterusten wensen. Ze was al een hele poos niet meer in de donkere kamer geweest. Haar hand was gewoon, en ruw als dorre bladeren. Mijn vader zat aan zijn smalle bureau in de eetkamer getallen op te tellen. De kranten stonden vol valuta en overlijdensadvertenties. Ik kon niet slapen. Het gebouw opende al zijn muren en vloeren en plafonds en trok me mee in zijn schimmige coulissen, of ik nu wilde of niet. Gundersen, die de bijnaam De-fles-die-wijst-naar had, wat natuurlijk veel te lang was om langs je neus weg te zeggen en die daarom gewoon Gundersen bleef heten, hinkte een verdieping hoger door zijn woning. Hij was niet de enige hier. Je had, zoals gezegd, ook nog de Fluiter en Tom Curling. Tom Curling was de oudste bewoner van het gebouw en we hadden het blijkbaar aan hem te danken dat curling, dat merkwaardige, ingewikkelde spel, of sport, zoals sommigen het ook wel noemen, in 1931 in Noorwegen was geïntroduceerd, dat beweerde hij in elk geval zelf en niemand zag ook maar enige reden om hem tegen te spreken. De Fluiter oefende voor het Europees kampioenschap kunstfluiten op Walcheren, in Nederland. Dat deed hij al achttien jaar lang. Hij dreef ons en de meeste anderen tot waanzin. En mocht er in deze zinnen meer plek zijn om over hen te vertellen, dan krijgen ze de ruimte die ze absoluut verdienen, maar dat weet ik nu nog niet. Wat ik echter wel wist, was dat ik het gesprek met mijn vader tijdens het eten graag had willen missen. Ik had niet meer het gevoel dat ik mijn bestemming had gevonden. Mijn bestemming was nog steeds onduidelijk. De stukjes van mijn puzzel lagen kriskras door elkaar.

Het werd stil.

Zelfs een gebouw als dit, in de August aveny, moet ooit een paar tellen rusten.

Ik sloop naar de eetkamer en pakte de plattegrond van Oslo, die in het kleine laatje onder vaders kolommen lag. Ik deed de lamp aan en vouwde het enorme stuk papier uit op de vloer. Ik volgde met mijn wijsvinger de loop van de straten en de bochten van de wegen. Het moesten er honderden zijn, misschien wel duizenden. Ik moest al die namen leren. Het volstond niet om ze uit je hoofd te kennen. Ik moest weten welke straten elkaar kruisten en waar de wegen begonnen en eindigden. Ik moest weten waar de trams stopten en de bussen vertrokken. Ik moest weten waar de kraamklinieken en de crematoria lagen. De leerstof van een bloemenbezorger was groter dan mijn geheugen. Ik werd al duizelig van alleen maar naar de kaart te kijken en viel om als een zeezieke astronaut. Dit was mijn planeet. Dit was mijn wereld. Dit was mijn stad. En toen dacht ik aan de schildpad waar ik in de *National Geographic* over had gelezen en kikkerde weer op. Die was van een strand in Australië dwars over de Stille Oceaan naar Amerika gezwommen. Dat kostte hem vijftien jaar. Daar aangekomen keerde hij om en zwom weer terug. Dat kostte hem weer vijftien jaar. En toen de schildpad thuiskwam, op precies hetzelfde strand dat hij dus dertig jaar eerder had verlaten, als ik dat correct heb uitgerekend, stierf hij, hopelijk gelukkig, iets anders zou immers verschrikkelijk zijn. Dan zou ik toch wel de weg naar alle adressen in Oslo moeten kunnen vinden.

Ik deed het licht uit en ging naar bed. Maar net zo snel als ik me had laten troosten door de volhardende, nauwkeurige schildpad, werd ik weer moedeloos. Het gesprek met mijn vader liet me maar niet los. Misschien stond alles wat ik moest weten in een encyclopedie in twaalf delen, maar daar stond vast en zeker niks in over de straten van Skillebekk of over de geheimen waar zelfs ik nog niks van afwist. En zo bleef ik de rest van de nacht klaarwakker aan de fiëstarode gitaar liggen denken. Was die nuttig? Nuttig waarvoor? Misschien was de gitaar ook slechts een middel, om iets anders te bereiken, een omweg, en niet een doel op zich. Maar wat was dan het uiteindelijke doel?

Ik wist het niet.

Nu weet ik het.

Ik wilde zichtbaar worden.

En dat is het moment waarop dit verhaal kan beginnen.

Ik had het ook zo kunnen openen, zoals een kind ongeduldig het papier van een cadeautje afrukt:

Toen ik dertien jaar was, was mijn grootste wens op deze aarde een Fender Stratocaster, die ik in een winkel in de Bygdøy allé had gezien. Maar daar had ik geen geld voor. Daarom nam ik een baantje aan als bloemenbezorger bij Finsens Flora. Zo ontmoette ik Aurora Stern.

Want het is de volgorde van de gebeurtenissen die ons bezwaart, die gebeurtenissen, grote en kleine, die onverbiddelijk zijn opgesloten in de tijd, maar die zich later ontworstelen aan die greep, in de almanak van de herinnering en het verhaal. De herinnering verschuift. De herinnering versluiert en onthult, trekt af en telt bij, in een ander soort wiskunde, de herinnering kalefatert op. En zo vertellen we het dan. De winter komt na de lente. Zondag komt na woensdag. Het noorden ligt naast het zuiden, het sneeuwt in juni, de August aveny is een plek, Haxthausens gate 17 is een geheim, en de dood is niet het einde.

Het is, met andere woorden, mijn voorrecht om op de gebeurtenissen vooruit te lopen.

Zo ontmoette ik dus Aurora Stern: twee weken later kreeg ik een ritje naar Haxthausens gate 17, dat kronkelende straatje tussen de Frognervei en de Gyldenløves gate dat is vernoemd naar de onbetrouwbare minister van Financiën en opperhofmaarschalk uit 1814, die er later in datzelfde jaar van werd beschuldigd met de Zweden te heulen, wat ertoe leidde dat een woedende volksmassa hem uit zijn ambtswoning in de Rådhusgate verdreef en hij halsoverkop vluchtte naar zijn zomerhuis bij Lille Frogner, maar daar vonden ze hem ook, zodat hij uiteindelijk zijn toevlucht moest zoeken op het platteland, bij een dominee in Gran in Hadeland. Misschien niet zo vreemd dus dat Haxthausens naam vereeuwigd is in zo'n bescheiden straatje. Ik had een hoge kartonnen doos op mijn bagagedrager vastgemaakt en daarin stond het ingepakte boeket, het laatste van die dag, voor iemand die Aurora Stern heette. Ik fietste door de Niels Juels gate. Dat was het snelst, want de nummers van de Haxthausens gate begonnen in de Frognervei. Ik was al een ervaren bloemenbezorger. Kende de kneepjes. Bovendien had ik richtingsgevoel. Al werd ik duizelig van kaartlezen, ik was een kei als het op straatnaambordjes aankwam. Met andere woorden: ik vond het adres, Haxthausens gate 17, meteen. Het was een wat ouder appartementengebouw, uit 1890 of daaromtrent, de periode dat de meeste architecten in deze stad goed naar de huizen in Hamburg hadden gekeken. Nu zaten er scheuren in de muren, de daklijsten waren scheef en er was minstens één dakpan op het trottoir gevallen. Ze hadden een waarschuwingsbordje moeten plaatsen of de omgeving af moeten zetten. De naam, Aurora Stern – ik had nog nooit gehoord dat iemand zo kon heten – stond naast geen van de bellen bij de voordeur, die op slot was. Dat beviel me helemaal niet. Misschien was Aurora Stern een huurster, of een werkster, die in zo'n klein meidenkamertje achter de keuken woonde en die verplicht was de achteringang te nemen? Ik liep naar de binnenplaats. Een witte kat sprong van de vuilnisbak en kroop door een spleet in de hoge schutting. Een omgevallen stoel lag vol bladeren onder het droogrek. Het rook naar zeven verschillende soorten avondeten door het sleutelgat van de gammele achterdeur. Daar kon ik de naam Aurora Stern ook nergens ontdekken. Ik liep terug naar de hoofdingang. Toen zag ik dat er bij een bel van de tweede verdieping een strookje papier was bevestigd waar niks op stond, alsof degenen die daar woonden allang waren verhuisd, of overleden. Toch waagde ik het erop en belde aan. Er gebeurde een hele poos niks. Ik vroeg me af of dit pakketje was wat Finsen Zelf een blindganger noemde, namelijk een pakketje dat je nooit bij de juiste persoon kon afleveren. Blindgangers waren de nachtmerrie van de bloemenbezorgers. Ik belde nog een keer aan. Er deden vele verhalen de ronde over bloemenbezorgers die door zulke blindgangers tot waanzin waren gedreven. Een van hen had geprobeerd zich op de Fred Olsenkade van het leven te beroven, maar hij was godzijdank op het laatste nippertje gered door een paar palingvissers die nog niet dronken waren. Een ander werd opgenomen in de psychiatrische kliniek van Gaustad, daar ligt hij nu nog en niemand stuurt hem bloemen. Anderen konden de rest van hun jeugd niet meer slapen. Maar plotseling klonk er ergens een zoemtoon en kon ik de zware deur openduwen. Ik was binnen. Op de brievenbussen was haar naam ook nergens te bekennen. Op een ervan stond helemaal niets. Die was vast van haar. Ik liep de trappen op. Met een trede tegelijk. De brede leuning was glad en versleten. Het licht viel zwaar door de blauwe en paarse glas-in-loodramen en dreef als inkt rond mijn schoenen. Op elke verdieping stonden de deuren op een kier en werden geruisloos gesloten zodra ik erlangs was gelopen. Ik bereikte de tweede verdieping. Op de deur links zat ook geen naambordje. En hij was dicht. Ik belde aan. Iemand deed de deur zonder naam open. Ik kon niet zien wie. De hal waar de desbetreffende persoon moest staan was in duisternis gehuld. Ik hoopte alleen dat het de juiste desbetreffende persoon was.

'Ben ik hier bij Aurora Stern?' vroeg ik.

'Wie?'

Ik raapte al mijn moed bijeen en zei nogmaals: 'Ben ik hier bij Aurora Stern?'

'Je hebt me gevonden.'

De vrouw die dat zei praatte langzaam, alsof elke letter een bezoeking was.

Ik had Aurora Stern dus gevonden. Daarom was ik ook zo goed. Daarom was ik de beste. Ik vond mensen. Ik vond de juiste desbetreffende personen.

'Ik kom bloemen brengen', zei ik.

'Dat zie ik.'

'Je moet hier ondertekenen, met datum en tijdstip.'

Ik scheurde het strookje af en stak haar dat toe.

Ze aarzelde nog even. Ik kon haar ademhaling horen. Die ging snel. Ze snakte bijna naar adem en ik bespeurde er een soort angst in, of misschien moet ik eerder zeggen verwondering, de verwondering die op achterdocht lijkt. Tot slot zei ze: 'Kom binnen, dan kan ik het beter zien.'

Dat was een merkwaardige opmerking, aangezien het in het trappenhuis lichter was dan in de hal waar zij stond. Ze kon beter naar buiten komen. En ik herinnerde me maar al te goed wat Finsen Zelf had gezegd, die eerste dag, namelijk dat je nooit een voet over de drempel mocht zetten tenzij je daar nadrukkelijk toe werd uitgenodigd.

Ik stak haar de balpen ook toe.

Aurora Stern lachte en die lach was net zo zwart als de duisternis waarin ze stond.

'Durf je niet?' vroeg ze.

Dat was nadrukkelijk.

Ik veegde omstandig mijn voeten af op de mat, om haar genoeg tijd te geven om zich te bedenken. Ze bedacht zich niet. Er viel bijna niets meer van mijn voeten te vegen. Ik stapte bij Aurora Stern binnen en hoorde de deur achter me dichtslaan. Ik bleef een poosje in dezelfde duisternis als zij staan. Het rook anders dan alles wat ik ooit had geroken. Het rook er niet naar bruine jus en linoleum. Het was niet onaangenaam, alleen anders, iets met apotheek en parfumerie, en die twee woorden vormden een geur waar ik de naam niet van wist. Het was zowel verleidelijk als angstaanjagend. Ik wilde weggaan, maar bleef. Ik wilde blijven, maar ging weg. Zo was het. Toen stak ze een kaars aan. Ik draaide me bruusk om. Ze droeg een soort duster, of kamerjas, als dat zo heet bij vrouwen. Die was rood, verschoten, en strak met een ceintuur rond haar smalle middel gebonden. Haar haar was donker, zwart bijna, en heel kort geknipt, bijna een jongenskopje. Haar gezicht was wit. Haar huid was wit. Ze was blootsvoets. Ze zou net zo oud als mijn moeder kunnen zijn, misschien ouder, misschien veel jonger. Ze was leeftijdloos. Maar wat me vooral opviel waren haar handen. Ze had mannelijke handen, het waren knuisten. Ik moest wel naar haar sterke, gespierde hand kijken toen ze de vlam van de lucifer schudde.

'Heb je haast?' vroeg ze.

Ze praatte nog steeds heel langzaam, alsof ze net had leren praten, of de taal die ze nu sprak net had geleerd.

'Nee', zei ik.

'Maar je hebt het druk, of niet?'

'Ja ...'

Ze pakte het strookje en de pen van me aan en schreef iets op.

Nu mijn ogen begonnen te wennen aan de duisternis buiten de onrustige lichtcirkel waarin we stonden, kon ik de wanden zien, de kamers, de dichte gordijnen, de meubels, de tapijten; overal spullen, frutsels, prullaria, ik zag juwelen, doosjes, knopen, medaillons, foto's, spiegels, klokken en voorwerpen waarvan ik niet eens wist wat ze waren en er was nauwelijks plaats meer, het was alsof je in een antiekzaak op bezoek was, nee, op een vlooienmarkt in een grote, vreemde stad, stelde ik me zo voor.

En die geur van apotheek en parfumerie, van kamfer en cologne, hoe heet die geur?

Aurora Stern gaf me het bonnetje terug en ze kreeg de

46

bloemen. Ze pakte ze meteen uit. In al dat papier, in alle kranten en het zijdepapier, dat ze zo op de vloer liet vallen, zat uiteindelijk één tulp, meer niet, geen kaartje, niks, alleen maar één rode tulp. Het was het kleinste boeket dat ik tot nu toe had gezien. Ze hield de tulp omhoog, die bijna verdween tussen haar grove en toch gracieuze knuisten.

Wie had haar die gestuurd, deze ene tulp? Ik wilde het graag vragen, maar dat was onmogelijk, zoiets vroeg je niet.

'Nu moet je gaan', zei Aurora Stern.

'Ja.'

Ze draaide zich om naar mij. Ik was nog niet weg. Nu zag ik dat er make-up, of poeder, als een droog, glanzend waas op haar gezicht lag. In het kuiltje in haar hals hing haar huid in een dunne plooi, die ze voortdurend probeerde strak te trekken door haar kin op te tillen. Haar ogen waren bruin. Ze loenste een beetje met het ene, en ze bedacht zich.

'Wacht even.'

Aurora Stern liep naar een plank naast de kaars waar een rijtje kleine beeldjes stond, dierenfiguren, ik zag in de gauwigheid een giraf, een leeuw, een beer, een kameel. Toen ze terugkwam legde ze een olifant in mijn hand, een gladde, zwarte olifant met witte slagtanden, hij was zwaar, ondanks het feit dat hij zo klein was.

'Ivoor', zei ze.

'Bedankt.'

'En nu moet je echt gaan.'

Toen ze de deur achter me dichtdeed zag ik dat de vlam daarbinnen meteen doofde.

Ik keek op het strookje. Haar naam, Aurora Stern, stond

daar in een schuin, iel handschrift, bij sommige letters was de lijn onderbroken, afgekapt, alsof haar sterke hand even had getrild.

Op weg naar huis bleef ik staan voor Bruns Muziekhandel. De elektrische gitaar stond er nog steeds. Sommigen zeggen dat zo'n gitaar op een vrouw lijkt. Maar als je Elizabeth Taylor rood verfde en je zes snaren op haar vastzette, zou ze dan op een Fender Stratocaster lijken? Ik had zo mijn twijfels. Er wordt trouwens gezegd dat die bijzondere rode kleur, fiëstarood, voor het eerst is gebruikt voor een Ford Thunderbird, uit 1956, en toen zat er nog wat lak in het blik en daar verfden ze de gitaar mee. Wat is sneller, een Thunderbird of een Fender Stratocaster? Dat hangt van de chauffeur af. De prijs was ook nog niet veranderd: 2.250 kronen, niet meer en niet minder. Ik had een olifant als fooi gekregen. Wat moest ik in hemelsnaam met een olifant? Hoeveel was een ivoren olifant waard?

Ik stopte hem in mijn kluis voor fooien en andere onvoorspelbare inkomsten. Daar zaten al 18 kronen in. Het strookje legde ik in het archief voor alles wat ik nog te goed had. Ik had nu een kapitaal van 86 kronen en dan telde ik ook het bedrag mee dat Finsen Zelf me nog verschuldigd was. Ik had, met andere woorden, 8 kronen en 10 øre per dag verdiend. Als het zo doorging, kon de gitaar over 56 weken van mij zijn, maar waarschijnlijk zou het langer duren, want Finsen Zelf had me namelijk gewaarschuwd. Binnenkort werd het november en november was een beroerde maand voor bloemen. Slechts heel weinig mensen sturen bloemen in november. Ik moest geduld opbrengen. Geduld beschermt tegen de tijd als Nivea tegen de zon. Ik was bang dat ik toch zou verbranden. Het platte, blauwe doosje met geduld zou niet eeuwig duren. Ik voerde het nieuwe adres in onder de H in de Bijbel van de Bloemenbezorger: Haxthausens gate 17. Daar had ik al de Halvdan Svartes gate 9 en de Harald Hårfagres gate 4 staan. Het viel me op dat de meeste straten in deze stad, in elk geval in Oslo 2, vernoemd waren naar generaals, koningen, bisschoppen, hofmaarschalken, goden, dominees, professoren, rechters, stadhouders en andere hoge heren. Gundersen, bijvoorbeeld, zou nooit een straat naar zich vernoemd krijgen. Op dit ogenblik rolde hij rond in zijn badkuip als een Eskimo in zijn kano, bad zijn ochtendgebed midden in de nacht en schreeuwde om meer drank. Het was een Skillebekk Sunset. Het was al nacht. De nachten leken op elkaar. De opera van het gebouw werd herhaald. Tom Curling stuurde zijn stenen naar het huis achter in de keuken, en veegde alles wat in de weg stond opzij en ten slotte, maar niet in de laatste plaats, had je de Fluiter op de begane grond, nee, die hield echt niet op, hij floot zelfs in zijn slaap, fluiten was zijn manier van leven, zijn religie, dat schrille geluid dat zo doordringend en opgewekt was dat het de doden tot leven kon wekken en de levenden wakker hield, 'Bridge over the River Kwai', 'Que sera, sera', 'Apache', maar het ergst was het als hij helemaal los ging en hij Sindings 'Es schrie ein Vogel' floot, dan stierven degenen die tot leven gewekt waren ter plekke en verlangden de levenden naar een even plotselinge dood. Dat gebeurde gelukkig vrij zelden. Ik kon me maar één keer herinneren dat hij dat gedaan had en dat was tijdens de Cubacrisis. Maar hij floot des te vaker, uit volle borst, het populaire liedje 'Zon buiten, zon binnen, zon in je hart, zon in je zinnen', uiteraard zonder tekst. Alles was dus bij het oude.

Toch werd het die nacht ook weer ochtend. De lucht was zo helder als hij alleen in oktober kan zijn. Ik kon zelfs het beuken op de klinknagels op de Akers Mek. scheepswerf horen. Ik hield van het harde, heldere geluid van ijzer op ijzer. Het was het drumstel van de stad.

Toen rukte mijn moeder de deur open en riep: 'Je hebt je verslapen! Je hebt het nulde uur les!'

En toen had ik geen keus. Ik moest naar school, nader bepaald Vestheim, op de hoek van de Skovvei en de Colbjørnsens gate, een lyceum, ik zat dus in de eerste klas van de onderbouw en zag op tegen elke dag van de twee jaar dat ik daarnaartoe moest.

Een gewone schooldag kon bijvoorbeeld zo beginnen:

De bel is al gegaan, want het is het nulde uur, en wij, klas 1f, die bestaat uit twaalf jongens en acht meisjes, staan te wachten voor het klaslokaal. We hebben Noors. We wachten op de leraar, Hals. Hij is meestal te laat. Sommigen zeggen dat dat komt omdat hij altijd op het laatste ogenblik zijn schoenen poetst in de lerarenkamer. Anderen denken dat het is omdat hij vergeet welke klas hij heeft en hij daarom naar het verkeerde lokaal gaat. Ons maakt het niet uit. Hij mag zo laat komen als hij wil, wat ons betreft pas als de les afgelopen is. Dan horen we zijn langzame voetstappen onderaan op de trap. Daar komt meneer Hals aan. Op dat moment loopt Putte, de Göring van de klas, die iedereen die hij niet mag, en dat is bijna iedereen, jood noemt en die na schooltijd brommer rijdt ook al is hij nog maar veertien, naar de deur, hij rochelt lang en laat een dikke, donkere, gele klodder op de deurklink vallen, draait zich om naar de andere jongens, die een voor een hetzelfde doen, ze spugen op de deurklink terwijl de meisjes griezelen en giechelen, net zo lang tot het helaas mijn beurt is, zoals dat meestal het geval is, vroeg of laat.

'Schiet op, stomme jood.'

'Ik ben geen jood.'

'Zeker weten?'

Putte mag me niet. Dat staat wel vast.

'Nee', fluister ik.

Putte buigt zich naar me toe.

'Heb je iets tegen joden, of zo?'

Meneer Hals neemt de tijd, zijn voetstappen klinken nog steeds op de trap, alsof de treden de verkeerde kant op gaan.

'Nee', antwoord ik.

Putte lacht.

'Je bent een jood als je niet doet wat ik zeg.'

Ik raap mijn moed bijeen. Veel is dat niet.

'En wat zeg je dan?' vraag ik.

Nu wordt Putte link. Hij zwaait heen en weer met zijn gymtas, waar zijn helm in zit. Even ben ik bang dat hij die als een soort slinger zal gebruiken en hij me gaat slaan.

'Ik zeg dat je op de deurklink moet spugen, stomme jood.'

Ik schud mijn hoofd.

'Nee.'

Nu wordt Putte achterdochtig in plaats van link. Dat is bijna nog erger. Hij staat zo dicht bij me dat ik even denk dat hij me zijn spuug wil lenen, maar tot mijn opluchting zien we op dat moment allebei meneer Hals boven aan de trap verschijnen, zoals gewoonlijk zoekend naar de enorme sleutelbos in zijn jas.

'Wacht maar', zegt Putte. 'Wacht jij maar.'

Dat is het ergste wat je tegen iemand kunt zeggen, wacht maar, het is een dreiging zonder tijdstip en daarom heeft die de tijd aan zijn kant staan, de tijd is onderdeel van de dreiging, elke seconde maakt alles erger en degene die maar wacht, wacht nooit op iets goeds, wacht maar.

'Op wat dan?' fluister ik.

Maar Putte geeft uiteraard geen antwoord, hij gaat bij de anderen staan en slingert de gymtas met de helm over zijn schouder. Meneer Hals komt dichterbij. Hij kijkt ons aan. Er ligt iets droevigs in zijn ogen. Het lijkt op het noodlot. We gaan voor hem opzij. Niemand zegt iets. En daar moet ik bij zeggen dat ik niet beter was dan de anderen, dat ik een hart van goud had en dat soort dingen, omdat ik niet had gespuugd. Ik had niet gespuugd omdat ik een volkomen droge mond had. Mijn verhemelte was bekleed met lino-leum. Daar heb ik nog steeds last van, vooral als ik iemand moet kussen, lang moet spreken voor een groot gezelschap of me in een uitermate ongemakkelijke situatie bevind, zo-als nu. Er was geen druppel te bespeuren, of het moest al puur bloed zijn, anders had ik precies gedaan wat Putte zei, spugen. Meneer Hals blijft bij de deur staan, steekt de sleu-tel in het slot en draait die om terwijl hij zijn andere hand, de rechter, op de kleverige deurklink legt en die naar bene-den duwt. Zo blijft hij staan, misschien maar een paar se-conden, maar het lijkt een heel jaargetijde, zonder de klink los te laten. Dan tilt hij eindelijk zijn hand op, haalt een grauwe zakdoek tevoorschijn en droogt zijn vingers af, hij droogt langzaam zijn vingers af, een voor een, en dat doet hij met een zwijgende, kaarsrechte waardigheid die we nog nooit eerder hebben gezien en die ons daardoor bang maakt en van ons stuk brengt. Meneer Hals heeft deze slag gewonnen. Hij duwt de deur open en wij lopen gehoorzaam en met stomheid geslagen de klas in en zoeken onze plaatsen op. Meneer Hals gaat achter zijn bureau zitten, vouwt zijn zakdoek op en laat die in de prullenbak vallen. Hij wijst naar Putte.

'Heb jij je hoofd daar in die gymtas zitten?'

Putte krijgt een kromme rug.

'Nee, meneer Hals.'

'Weet je dat wel heel zeker, Putte? Dat dat je hoofd niet is? Weet je dat heel zeker?'

'Dat is mijn helm, meneer Hals.'

'Je helm? Heb jij vandaag een helm nodig, Putte?'

'Dat is mijn brommerhelm, meneer Hals.'

'Maar jij mag helemaal geen brommer rijden, Putte.'

'Ik weet het, meneer Hals.'

'Je hebt dus je hoofd en niet je helm in die gymtas zitten, Putte?'

'Ik spaar voor een brommer, meneer Hals.'

'En in de tussentijd heb je je hoofd onder je arm?'

'Ja, meneer Hals.'

'Dan vind ik dat je je helm op de grond moet leggen zodat ik me de volgende keer niet vergis, mijn beste Putte.'

Dit deed me deugd. Nu zou Putte er van langs krijgen, want dit was nog maar het begin. Als Putte Göring was, dan was meneer Hals het Neurenbergproces. Maar in plaats van Putte voor eens en voor altijd af te maken, draaide meneer Hals zich om naar mij.

'Sigbjørn Obstfelder', zegt hij.

Dat was dus de dank, ik bedoel de ondank. Dat was dus 's werelds loon, vals wisselgeld, waardeloze valuta in een land dat niet bestaat. Ik, de enige jongen die niet op de deurklink had gespuugd – en meneer Hals kon met geen mogelijkheid weten dat dat alleen maar kwam omdat ik zo'n droge mond had – zou dus overhoord worden. Wraak kent geen grenzen.

'Wie?'

'Wie? Heb jij vandaag ook een helm op?'

'Nee.'

'Ik zie geen gymtas. Maar ik zie je hoofd wel. Zou ik me dan toch vergissen?'

'Nee.'

'Mooi zo. Dan mag jij ons nu over Sigbjørn Obstfelder vertellen.'

Zo ver was ik niet gekomen met mijn huiswerk. Hamsun was de laatste over wie ik gelezen had. Over Hamsun had ik heel wat kunnen vertellen, onder andere dat hij honger had, de Nobelprijs had gekregen en nazi was geworden. Ik had ook kunnen zeggen, of misschien kan ik dat nu pas, dat Hamsun de eerste was die de stroom inschakelde, zichzelf op het alfabet aansloot en elektrisch Noors schreef. Als het op mijn kennis over Sigbjørn Obstfelder aankwam, was de oogst wat magerder.

Meneer Hals wachtte.

'Ik wacht nog steeds', zei hij.

'Hij heeft geen straat.'

'Pardon?'

'Sigbjørn Obstfelder heeft geen straat.'

'O nee?'

'Niet dat ik weet.'

Meester Hals glimlachte dat glimlachje dat naar ik weet gevaarlijk is, dat erger is dan alle grimassen bij elkaar.

'Ik geloof bijna dat je je gymtas moet pakken om je hoofd tevoorschijn te halen. Of misschien heb je de laatste tijd iets te veel met bloemen gelopen, hm? Verwar je onze grote dichters met straten? Was je van plan Obstfelder te asfalteren?'

'Ik fiets.'

'Wat zeg je?'

'Ik loop niet met bloemen. Ik fiets.'

'Sta op.'

Voorlopig lachte er nog niemand in de klas, niet omdat ze zo met me meeleefden, maar omdat de les nog twintig minuten duurde en zo meteen iemand anders aan de beurt kon zijn.

Ik stond op.

'En kom hierheen, alsjeblieft', zegt meneer Hals.

Ik moest naar het bord komen. Ik liep ernaartoe. Ik keek naar het raam en kon het schoolplein zien, en wat kan er eenzamer zijn dan een schoolplein in oktober tussen de pauzes in, als de bladeren rond de afgesloten drinkfontein dwarrelen en de duiven onder het afdakje afgedankte lunchpakketjes kapotpikken waar moeders ooit hun ziel en zaligheid in hebben gelegd.

Meneer Hals keek me lange tijd aan.

'Gaat het wel goed met je?' vraagt hij.

Dat was geen onderdeel van het huiswerk.

'Nee', antwoord ik.

En ik besef nu opeens dat deze woorden, dit in de oren van sommigen misschien onbenullige gesprek, tussen de leerling en de leraar, tussen mij en meneer Hals, in de tegenwoordige tijd staan, want in mijn herinnering galmen de antwoorden nog steeds na, ze spreken bijna voor zichzelf, de taal houdt vol terwijl de handelingen die deze woorden omgeven obscuur zijn, in het verleden liggen, daar zijn verwrongen en in een ander licht zijn komen te staan en de onvolwassen gezichten in het klaslokaal drijven weg en laten zich niet grijpen, laten zich niet vastpinnen op het papier, zoals deze val in Parijs, voor een volle zaal, ook – en dat is de schamele hoop waaraan ik me voorlopig probeer vast te klampen – vergeten zal worden door degenen die er helaas getuige van zijn.

Nee, het gaat niet echt goed met mij.

'Met Sigbjørn Obstfelder ook niet', zegt meneer Hals.

Mag ik hier dit even vertellen: een paar jaar voor deze gebeurtenis was een meisje uit onze buurt vermist. Ze was tien jaar en ze was niet op de gebruikelijke tijd thuisgekomen uit school, de Uranienborgschool. Toen het zeven uur werd en ze er nog niet was – en het was een betrouwbaar meisje, zei iedereen die haar kende, onder wie ik – zette de politie een grootscheepse zoekactie op touw. Mijn vader en moeder deden ook mee. Ze kamden de omgeving uit, ze zochten langs de spoorlijnen, in het bos bij Skøyen, in de parken langs de Drammensvei, rioolputten moesten open, zaklampen en stemmen zwiepten door de duisternis, schijnwerpers van reddingsboten zweepten het water in de Frognerbaai op terwijl haar ouders, haar arme ouders, wachtten, wachtten op nieuws. Ik herinner het me nog als de dag van vandaag. Want ik stond naast hen. Toen kwam er bericht. Er was een meisje gevonden. Ze was het. Het was hun dochter. Ze zat op een bankje in het Stenspark. Wat een blijdschap. Wat een vreugdetranen. Ze vloeiden rijkelijk. Wat een gejuich. Wat was dit een heerlijke avond, ondanks alles, heerlijker kon het niet worden. Haar ouders omhelsden elkaar. Ik stond er, zoals gezegd, naast. Ze huilden en lachten. Ze lachten en huilden. Het was zo mooi. Maar ik begon te twijfelen. Dat is een nare gewoonte van me. Ik begin te twijfelen. Waarom zat ze op een bank in het Stenspark als ze in Uranienborg op school zat en in het zuidelijke deel van Skillebekk woonde? En niet lang daarna kwam er een ander bericht. Ze was het toch niet. Hun dochter was dood gevonden, in de baai, onder de brug, ze dreef met haar gezicht in het water en haar schooltas nog op haar rug. En ik zag de woede, de woede van haar ouders, hoe kon iemand zich zo vergissen, hoe kon iemand een levend en een dood meisje verwisselen, hun meisje, hun eigen dochter verwisselen met een ander? In hun afschuwelijke verdriet stortten de arme ouders zich natuurlijk op degenen die hun de waarheid moesten vertellen. De moeder kon het niet verkroppen dat ze haar verkeerd geïnformeerd hadden. Ze was voor de gek gehouden. Ze sloeg om zich heen. Ze verloor haar verstand. Haar man moest haar ten slotte in bedwang houden om te voorkomen dat ze zichzelf iets aandeed. Maar ik dacht: was dit misverstand niet een geschenk? Hadden ze niet een extra moment van geluk gekregen, voordat de waarheid hen kapotmaakte, was de dood niet uitgesteld, en hadden ze in dat leugenachtige moment misschien niet intenser en bewuster geleefd dan ooit? Moesten ze eigenlijk niet dankbaar zijn? Want verdriet heeft geen terugwerkende kracht. Het ogenblik dat ze dachten dat hun dochter leefde was nog steeds waar.

Zo meteen gaat de bel. Het is herfst 1965. Oktober is een nare maand. Die weet nooit goed welke kant hij op wil. Vanochtend scheen de zon. Nu regent het weer. Ik denk aan de kartonnen doos op mijn bagagedrager. Die wordt nu nat. Ik moet een nieuwe doos te pakken zien te krijgen om de bloemen in te zetten. Ik denk aan van alles om nergens aan te hoeven denken. Ik denk niet aan Putte en aan wat hij nu waarschijnlijk aan rottigheid zit uit te broeden. Ik denk aan het meisje dat op haar buik in de Frognerbaai dreef. Haar gezicht was zó kapotgevroren, dat zelfs haar ouders hun dochter niet meer herkenden toen ze eruit werd gehaald. Ik denk opeens aan de handen van Aurora Stern.

Meneer Hals geeft me het literatuurgeschiedenisboek.

'Lezen', zegt hij.

Dat was precies waar ik bang voor was geweest.

'Lezen', herhaalt meneer Hals.

Ik kan de 'r' niet zeggen. Dat is aangeboren. Mijn moeder heeft me meegenomen naar een beroemde logopedist in Nordstrand. Hij stak naalden in mijn tong. Dat hielp niet. Hij legde houtsplinters onder mijn huig. Dat hielp ook niet. Ik ben naar het Rijkshospitaal geweest en heb daar twee dagen gelegen met draden aan mijn hoofd en mijn mond vol elektriciteit. Ik kan nog steeds de r niet zeggen. Sommigen zeggen dat ik praat als een kind. Ik ben geen mondeling mens. Ik ben schriftelijk van aard. Er ligt één letter dwars in mij. Ik ben een typemachine waar een toets aan ontbreekt.

Ik begin voor te lezen. Het is Sigbjørn Obstfelders beroemde gedicht 'Ik zie', dat eindigt met de welbekende verzuchting: 'Ik ben blijkbaar op de verkeerde planeet beland'. Ik lees gejaagd, om het zo snel mogelijk achter de rug te hebben, en de eerste strofen red ik me vrij aardig, meneer Hals onderbreekt me in elk geval niet, hij heeft zijn ogen gesloten en geniet met zijn hele gezicht van deze Noorse poëzie:

*Ik zie de witte hemel*
*Ik zie de grijsblauwe wolken*
*Ik zie de bloedige zon.*

*Dit is dus de wereld*
*Dit is dus het huis der planeten.*

En dan komt het. Een regendruppel. Wat heeft een regendruppel hier in godsnaam te zoeken als in de derde regel de zon schijnt, zij het bloedig? Is het in dit gedicht ook oktober? Ik gooi het eruit:

*Een regendruppel!*

En ik rep me verder door het gedicht:

*Ik zie de hoge huizen*
*Ik zie de duizenden ramen*
*Ik zie de verre kerktoren.*

Maar meneer Hals heeft zijn ogen geopend en draait zich naar me om terwijl hij tegelijkertijd zijn linkerhand opheft.

'Wat zei je daarnet?'

Ik ga onverdroten door, alsof ik er heilig in geloof dat het allemaal voorbij gaat, dat het allemaal vroeg of laat voorbij gaat, en dat is ook zo, maar dat is een geheel andere zaak.

'Dit is dus de wereld. Dit is dus het huis der mensen.'

Meneer Hals onderbreekt me weer.

'Nee, nee, nee! Begin weer opnieuw!'

En ik begin weer opnieuw. Ik vraag me af of ik domweg die hele regendruppel zal overslaan, maar dat zal meneer Hals sowieso merken. Ik zweet als een otter als ik het woord nader, waar de dichter zelfs een uitroepteken achter heeft gezet, zodat er geen twijfel mogelijk is, dit woord moet als een zuil in het gedicht staan, mijn stem beeft, ik val bijna flauw, ik schreeuw het uit, alsof dat kan helpen, maar dat maakt het alleen maar erger: een regendruppel!

Meneer Hals schudt zijn hoofd, legt een hand op mijn schouder en onderbreekt me dus voor de derde keer. Dat is veel in de loop van één strofe.

'Steek je de draak met Obstfelders gedicht?' vraagt hij.

'Nee, absoluut niet.'

'Zeg me dan na: een regendruppel! Zeg het zo luid en duidelijk dat we allemaal onze paraplu moeten opsteken om niet nat te worden!'

Ik doe nog beter mijn best maar het lukt natuurlijk toch niet, het wordt, zoals gewoonlijk, alleen maar erger.

'Een legendluppel!'

Meneer Hals buigt zich dichter naar me toe, alsof hij daar wijzer van wordt.

'Jij hebt blijkbaar een spraakgebrek, en niet zo'n beetje ook, zeg.'

Ik draai me even om.

'Ja.'

'Ben je daarom zo stilletjes?'

'Ja.'

Meneer Hals draait me weer terug.

'Haal diep adem en zeg: rododendron!'

Ik kan geen enkele rododendron in Obstfelders gedicht ontdekken, er zijn witte luchten, een bloedige zon en hoge huizen, er zijn goedgeklede heren, glimlachende dames en sjokkende paarden, maar absoluut geen rododendrons. Meneer Hals kan me niet dwingen rododendron te zeggen als Obstfelder niet rododendron heeft geschreven. Hij had kunnen schrijven: ik zie de verwelkte rododendrons. Maar dat heeft hij niet gedaan. Ik doe er het zwijgen toe.

Meneer Hals wordt ongeduldig.

'Ik wacht er nog steeds op dat de bloemenbezorger "rododendron" gaat zeggen!'

Ik zeg zo zacht mogelijk: 'Lododendlo.'

En de klas heeft het niet meer. De lach klatert uit hun monden. Putte lacht het hardst van allemaal. Zelfs meneer Hals moet lachen.

'Lododendlo, ha, ha. Ik hoop van harte dat jij niemand lododendlo's hoeft te brengen!'

Eén ding moet ik meneer Hals nageven: ik zou 'Ik zie' nooit vergeten. En toen ik twee zomers later, in de herfst van 1967, voor het eerst The Doors hoorde en Jim Morrison *Strange days have found us, strange days have dragged us down* zong, bedacht ik dat zowel hij als Sigbjørn Obstfelder angstige astronauten waren, in hetzelfde ruimteschip, en dat beiden op de verkeerde planeet waren beland om mij, en alleen mij, daarover te vertellen. Dat was ook een soort troost.

'Lododendlo', zegt meneer Hals, hij houdt maar niet op.

Toen ging de bel eindelijk, maar er waren nog vijf lessen te gaan die dag en ik zou nog twee jaar in deze ellendige klas zitten en er elke ochtend weer tegenop zien. Het enige wat me overeind hield was de gedachte aan de Fender Stratocaster, maar tussen die gitaar en mij lag niet alleen een aanzienlijke som geld, maar ook, zoals gezegd, een hele hoop tijd, en als tijd geld was, wat ik betwijfelde, maar wat ik ook niet helemaal kon uitsluiten, zou de elektrische gitaar nooit van mij zijn. Zo dacht ik op sombere momenten. Dan was ik ook een bemanningslid van een verdwaald ruimteschip. Ik hoorde trouwens ooit een radioprogramma over een bepaalde plek in Nieuw-Zeeland die zo lag dat als het daar maandag was, het nog weekend was in bijvoorbeeld Skillebekk, en ze vierden lang voor alle andere mensen Nieuwjaar. Je kon dus vanuit die plaats in Nieuw-Zeeland naar Skillebekk bellen en vertellen hoe het morgen was. En als iemand uit die plaats om de een of andere reden naar Skillebekk zou gaan, dan zouden ze gisteren aankomen. Dat was niet te bevatten. Dat sommigen een voorsprong hadden en anderen erachteraan hobbelden leek niet rechtvaardig. Dat de tijd niet overal hetzelfde was joeg me bijna de stuipen op het lijf. Dat moest betekenen dat God een klunzige klokkenmaker was. De wereld liep verkeerd. Ieder mens leefde in zijn eigen tijd. Maar als ik er beter over nadacht, dan was deze regeling toch zo beroerd nog niet. Ik kon naar die plaats in Nieuw-Zeeland gaan en op die manier een dag of twee winnen zodat alles sneller achter de rug was, terwijl mensen uit Nieuw-Zeeland naar Skillebekk konden komen als ze iets gedaan hadden waar ze bitter spijt van hadden, om dat hier weer ongedaan te maken.

Wacht maar, had Putte gezegd.

En ik fietste kriskras heen en weer van adres naar adres en al snel was er geen straat meer aan deze kant van de rivier die ik niet kende. Als ik al op de verkeerde planeet was beland, zoals Obstfelder, dan was ik in elk geval in de juiste stad. Er deden zelfs geruchten over mij de ronde. Ik was de snelste bloemenbezorger van de stad. En op een dag werd ik in de Skovvei staande gehouden door de grootste concurrent van Finsen Zelf, namelijk Radoor, die dichter bij de Riddervolds plass zat.

Hij nam me apart.

'Hoeveel betaalt Finsen?' vroeg hij.

'Eén kroon ten zuiden van Adamstuen. En 1 kroon 50 ten westen van Skøyen.'

Radoor legde zijn hand op mijn schouder.

'Dan bied ik je 2 kronen ten noorden van Adamstuen.'

'O.'

'Denk er maar eens over na.'

Ik dacht erover na. Toen fietste ik terug naar Finsens Flora, waar Finsen Zelf al ongeduldig stond te wachten.

'Wat wilde Radoor?'

Hij had ons dus gezien.

'Ladoor?'

'Radoor! Hou je niet van de domme!'

Ik dacht na, maar niet lang.

'Hij bood me 2 kronen 50 ten noorden van Adamstuen', zei ik.

Finsen Zelf knakte drie anjers uit pure opwinding. Mevrouw Finsen Zelf, die in de loop van de herfst nog platter was geworden en die nu op een driehoekige postzegel uit Holland leek, moest hem tegenhouden. Dat lukte niet zomaar. Hij rukte zich los.

'Ik maak Radoor kapot! Dat kan ik je beloven! Heb ik jou onder mijn vleugels genomen en je vertrouwd, jij, ondankbaar stuk vreten, die nauwelijks wist waar het Koninklijk Paleis lag! Wat heb je gezegd?'

'Dat ik erover zou nadenken.'

'Over nadenken? Zo, jij bent een sluwe dondersteen! Probeer je me onder druk te zetten? Zit er misschien ook nog een vakbond achter? Nou?'

'Niet dat ik weet.'

Finsen Zelf moest gaan zitten, en hij rolde met trillende handen een scheef shagje. Hij ging gelukkig niet naar Radoor om hem kapot te maken. In plaats daarvan zuchtte hij diep.

'Ik wil je liever niet kwijt. Wat zeg je van 2 kronen en 10 øre ten westen van Skøyen?'

'Dank je wel.'

'En geen woord tegen Radoor! Ik verbied je elk contact met de vijanden! Is dat boven elke twijfel begrepen?'

Ik knikte. Finsen Zelf schudde een hele poos zijn hoofd.

'Godallemachtig. 2 kronen en 5 øre!'

'10 øre', verbeterde ik hem.

'Ja, ja, al goed, 2 kronen en 10 øre. Ik ga hoe dan ook failliet! Weet je hoe dit heet?'

'Nee.'

'De vrije markt. Iedereen wint. Behalve ik.'

Mevrouw Finsen Zelf kon het niet meer aanhoren.

'Ach, jij moet ook altijd klagen! Radoor wint ook niet, hoor!'

Finsen Zelf lachte verbitterd.

'O nee? Hij hoeft onze bloemenbezorger geen 2 kronen en 10 øre te betalen. Want dat moet ík doen!'

Finsen Zelf draaide zich om naar mij.

'Dat is toch correct, of niet? Nou?'

'Ja hoor', zei ik.

'Mooi. Dan zijn we het eindelijk eens.'

En ik kon weer voor Bruns Muziekhandel blijven staan om weg te dromen, dichter bij de elektrische gitaar dan ooit.

Op een dag dat ik dat net weer wilde doen, wegdromen, kreeg ik Edgar in het oog. Hij liep op het trottoir aan de overkant, met zijn handen in zijn zakken. Eigenlijk had ik dat leuk moeten vinden. Maar dat was niet zo. Ik snapte niet waarom. Ik snapte niet waarom ik zo onwillig was.

Ik verstopte me snel achter een lantaarnpaal.

Edgar was een jongen die ik kende van de zomervakanties op Nesodden. Hij logeerde met zijn moeder in Signalen, de barakken die de Duitsers vlak bij de aanlegsteiger van de veerpont hadden gebouwd en die nu als vakantiehuisjes werden verhuurd aan alleenstaande moeders uit Oslo en omstreken. Ons zomerhuis lag dichter bij Hornstranda, het was een oude houten villa van rond 1900 en als de zon scheen en het uitzonderlijk warm was, dik over de twintig graden, dertig misschien wel, dan liet de beits op de wanden los, in kleine blaren, en als ik 's avonds mijn hand op de bijna zwarte planken legde, was het net alsof ik aan het huis vastplakte, ik zat vast aan het huis met een dun, kleverig vlies, als lijm, als honing, en soms droomde ik, en dat was in wezen geen nare droom, die was best fijn, dat ik nooit meer loskwam, dat ik dat oude huis de rest van mijn leven met me mee moest zeulen en nog steeds kan ik, bij sommige gelegenheden, en dat kan zelfs hartje winter zijn, het gewicht voelen van alle zomers die ik daar heb doorgebracht. Maar op een dag, en ik weet niet meer welke zomer dat was, kwamen Edgar en ik elkaar tegen, waarschijnlijk op de kade, misschien visten we in de regen op makreel, en een van ons stelde voor dat we maar vrienden moesten worden, want we hadden eerlijk gezegd ook niet zo veel keuze. We lagen samen op de duikplank en telden krabben, kliplipvissen en bikini's. Andere keren voetbalden we in onze appelboomgaard. Daar kregen we al snel tabak van. Twee is een klein team. Toen mijn vader een badmintonset meebracht, een cadeau van een tevreden klant van de bank, gingen we badmintonnen in plaats van voetballen. Het record was 143 slagen achter elkaar. Toen begon het te waaien. Edgar pochte dat hij op een luchtbed over de fjord naar Sandvika was gepeddeld. Niemand had het gezien, maar hij beweerde dat het waar was. We haalden twee jaar achter elkaar ons zwemspeldje en als we geld hadden fietsten we helemaal naar het winkelcentrum, waar veel inboorlingen zich ophielden, de mensen dus die het hele jaar hier op het platteland woonden, en ooit werd Nesodden het Rijsbezemdorp genoemd, omdat de inwoners vanwege alle armoe en ellende het hoofd boven water moesten zien te houden door bezems te binden, maar nu hadden ze dus een winkelcentrum, met winkels, een kapper, een spaarbank en een café, en daar kochten we bijvoorbeeld één softijsje met spikkels om te delen, een softijsje dat zich toch op geen enkele wijze kon meten met de creaties die in Studenten werden geserveerd, de beroemde ijssalon in de Karl Johans gate in Oslo. Er ontbrak trouwens een plank in de vloer van het strandhokje bij de Bunnefjord en daar kon je onder liggen als mensen, bijvoorbeeld de meisjes uit Fagerstrand, zich omkleedden. Als we in augustus terug-gingen naar de stad zeiden we alleen maar 'tot ziens' en dan zagen we elkaar de volgende zomer pas weer. Zo ging dat gewoon.

Maar Edgar had me al gezien. Je kunt je onmogelijk ver-stoppen met een fiets die ook nog eens een kartonnen doos op de bagagedrager heeft staan. Edgar stak op een drafje de Bygdøy allé over, in veel te grote schoenen, haalde zijn han-den uit zijn zakken en zwaaide met beide armen. Nee, er was geen twijfel mogelijk. Ik kwam achter de lantaarnpaal vandaan.

'Hé, Edgar', riep ik.

Edgar bleef buiten adem voor me staan.

'Wat doe jij hier?' vroeg hij.

Wat deed ik hier?

Waar zou ik anders iets moeten doen?

De vraag was eerder wat Edgar hier deed. Hij woonde aan de andere kant van de stad en zat op een andere school, praatte anders en droeg andere kleren en had eigenlijk hele-maal niks te zoeken in de Bygdøy allé.

'Ik woon hier', zei ik.

Edgar gaf het niet op.

'Hier? Waar dan?'

En op dat moment begreep ik wat hij hier deed. Hij zocht mij.

'Wat doe jij hier?' vroeg ik.

'Niks.'

We bleven een poosje staan zonder iets te zeggen, verlegen, alsof we elkaar op heterdaad hadden betrapt.

'Ja, ja', zei ik.

Er was iets mis met Edgars gezicht. Ik kon niet ontdekken wat het was. Maar er was iets scheef en vreemd aan hem. Ik dacht dat het misschien kwam omdat we in de stad waren en we hier allebei anders werden. Misschien was er ook wel iets mis met míjn gezicht.

Edgar wees op mijn fiets.

'Heb je je schooltas in die doos?'

'Ik loop met bloemen.'

'Loop? Fiets je niet? Duw je je fiets als je met bloemen loopt?'

Daar moesten we allebei iets te lang hard om lachen.

Tot slot zei ik: 'Moet er eigenlijk vandoor.'

Edgar hield me tegen.

'We bellen', zei hij.

'Tuurlijk.'

'Afgesproken?'

'Tuurlijk, Edgar.'

Ik fietste naar huis en kon Edgar bijna helemaal tot aan de August aveny in mijn achteruitkijkspiegeltje zien en daarna kon ik nieuwe adressen invoeren in de Bijbel van de Bloemenbezorger: Arbiens gate, waar Ibsen overigens overleed, Wergelandsveien, Welhavens gate, Camilla Colletts vei, Munkedamsvei, waar een van de gebouwen ooit Bjørn-sonsløkke werd genoemd, omdat Bjørnstjerne Bjørnson daar precies vier jaar had gewoond, van 1869 tot 1873, zelfs Dops gate kreeg een plekje in mijn bijbel, maar Dops gate lag zo ver buiten de bewoonde wereld dat Finsen Zelf me maar liefst 2,75 kronen moest betalen, dat was een record, maar ik had dan ook zo'n beetje mijn leven op het spel gezet om dat boeket te bezorgen. Eckerbergs gate noteerde ik ook. En ik moet bijna wel vertellen over de keer dat ik daarnaartoe moest, naar de Eckerbergs gate. Daar woonde Maria Quisling, de weduwe van Vidkun Quisling, en het was precies, op de dag af, twintig jaar geleden dat hij was geëxecuteerd en terechtgesteld in de Akershusvesting, het was, met andere woorden, 24 oktober 1965. Vidkun Quis-ling had Noorwegen op de grofst mogelijke manier ver-raden en de meeste mensen waren het erover eens dat hij dood moest. Dat was een verrader minder en een woord meer in onze taal: quisling. Er zijn maar heel weinig men-sen die een woord naar zich vernoemd krijgen. Zelfs Hitler heeft geen woord gekregen, bijvoorbeeld 'hitleren', wat had kunnen betekenen andere mensen het ergste aandoen wat je je maar kunt voorstellen, niet alleen je naasten, maar de hele mensheid, ons allemaal, iedereen behalve degene die zelf hitlerde, hitleren zou daarom een zo groot en veelom-vattend woord zijn dat het de rest van de taal in de schaduw zou hebben gesteld, tenzij we een ongelooflijk goed iemand hadden gevonden naar wie ook een woord vernoemd zou kunnen worden, maar is er überhaupt een mens te vinden wiens goede daden opwegen tegen Hitlers slechte? Bestaat er zo'n weegschaal? Niet dat ik weet. Maar Maria Quisling was niet degene bij wie ik bloemen moest bezorgen. Ze waren voor Halvorsen op de verdieping erboven en Halvorsen was niet thuis. Ik kon het pakketje niet zomaar voor de deur zetten. Dat was, zoals gezegd, streng verboden. Daarom belde ik aan bij de buren, met hetzelfde resultaat, niemand deed open, waar was iedereen, was dit sombere gebouw verlaten, zou het misschien worden afgebroken? Ten slotte stond ik dus voor de deur van Maria Quisling en ik voelde een rivier van kou en duisternis door het sleutelgat stromen. Als ik mijn oog tegen het sleutelgat had gelegd om te kijken of er iemand thuis was, zou ik blind geworden zijn. Ik belde aan. Dit was het ergste wat er bestond. Ik wist wat er zou gebeuren. De mensen voor wie de bloemen niet bestemd waren, dachten uiteraard dat dat wel zo was en daarom was de teleurstelling des te groter, die werd twee keer zo bitter, omdat de valhoogte zo groot was, wanneer ze begrepen dat dat niet het geval was, dat de bloemen voor de buren waren. Ik belde nog een keer aan. De deur werd op een kier geopend. Ik zag haar gezicht in de smalle schaduw. Het was het masker van de uitgestotene. Maar toen ze mij zag, de bloemenbezorger, en misschien een moment lang dacht dat de bloemen voor haar waren, het was immers precies twintig jaar geleden dat Vidkun was terechtgesteld, toen gleed de schaduw weg en achter die schaduw bevond zich, gedurende dat moment, haar eerste gezicht, ik zag het, misschien ben ik de enige die het gezien heeft tot ze vijftien jaar later in hetzelfde appartement stierf, nog steeds even schuw en uitgestoten.

'Voor mij?' vroeg ze.

Ik zei: 'De buurman is niet thuis. Kunt u de bloemen zolang aannemen?'

Haar eerste gezicht verdween, sneller dan het tevoorschijn was gekomen, achter dat masker van schaduw en kilte, ze deed de deur dicht en ik hoorde dat er twee sloten werden dichtgedraaid en er een ketting aan de binnenkant op de deur werd gedaan, alsof ze in de diepte van een verzegeld leven leefde in een wereld die op zijn kop stond.

Er zat niks anders op dan de bloemen mee terug te nemen naar de winkel. Maar in het stilste deel van de Odins gate kwam ik Göring tegen, met andere woorden: Putte. Hij versperde me de weg. Hij had geen vreedzame bedoelingen. Dit was dus waar hij me gevraagd had op te wachten. Nu was de wachttijd voorbij. Ik moest een noodstop maken en van mijn fiets stappen. Hij zat op zijn brommer, met de helm op zijn hoofd.

'Zijn dat lododendlo's?' vroeg hij.

'Nee, het zijn anjers.'

'Anjers?'

'Ja.'

'Ik hoef geen anjers', zei Putte.

Toen doken er ook twee andere rouwdouwen uit de klas op. Ook zij hadden geen vreedzame bedoelingen, integendeel. Ze pakten het pakketje voor Halvorsen, keilden het in de goot en stampten er achttien keer op en daarna reed Putte met zijn brommer over het boeket heen, van alle kanten. De bloemen waren uiteraard niet meer te redden. En toen Putte en de rest van de Gestapo waren verdwenen, deed ik iets ongehoords, iets wat zelfs helemaal niet nodig was, ik had gewoon kunnen vertellen wat er gebeurd was, of dat ik omgedonderd was, maar ik deed het toch, misschien omdat ik uit het lood geslagen was en bang was mijn baantje te verliezen, te klikken of te liegen. Ik koos voor een andere, grotere leugen, ik verviel van kwaad tot erger met de bedoeling alle problemen op te lossen, ik koos het ergste wat ik had kunnen doen, ik vervalste de handtekening. Ik schreef met voorzichtige letters 'Halvorsen' op het strookje, zo verschillend van mijn eigen onduidelijke, onvolwassen handschrift als maar mogelijk was, en voegde er de datum en het tijdstip van mijn eerste misdaad aan toe: 24.10.1965, 15.40 uur.

Daarna moest ik me van het lijk ontdoen. Ik gooide de trieste restanten van Halvorsens boeket, zeven kapotte anjers, in een vuilnisbak op een donkere, verscholen binnenplaats in de Tors gate. Daarna fietste ik terug naar Finsens Flora, alsof er niets was gebeurd, en leverde de bonnetjes van die week in, waaronder de valse Halvorsen, en kreeg 39 kronen en 50 øre uitbetaald, die Finsen Zelf, om zijn goede wil te tonen, afrondde naar veertig.

'Prettig weekend', zei ik.

'Dat kun jij makkelijk zeggen', zei Finsen Zelf.

Ik was al verstokt.

Maar nu moest ik op iets anders wachten. Nu was het niet Putte die het zei, maar God: wacht maar. Als ik in die speciale plaats in Nieuw-Zeeland had gewoond, had ik als de wiedeweerga naar Skillebekk kunnen reizen en had ik het vervalsen van de handtekening ongedaan kunnen maken, ik had mezelf zogezegd voor kunnen zijn en het niet kunnen doen, ik had zelfs een andere weg naar huis kunnen nemen en zo Putte ontlopen hebben. Maar dat was niet meer dan een schrale troost. Als ik er goed over nadacht, was het eigenlijk helemaal geen troost, integendeel zelfs. Want als ik in Nieuw-Zeeland had gewoond, dan zou immers niets van dit alles gebeurd zijn. Ik was voor eens en voor altijd gevangen in mijn lokale tijd.

Ik wachtte op de ontmaskering.

En op een avond dat ik zo in mijn kamer zat te wachten ging de telefoon. Het was voor mij. Mijn moeder kwam zeggen dat er telefoon voor me was. Dat gebeurde zelden. Ik kon me niet herinneren dat er ooit iemand voor mij gebeld had, afgezien van mijn vader, die een keer vanuit de bank belde dat hij later kwam vanwege een kassier die Zweedse valuta had verduisterd en dat we niet met eten moesten wachten, maar eigenlijk wilde hij mijn moeder spreken, dus dat telde niet.

'Er is telefoon voor je', zei mijn moeder nogmaals.

Ik stond niet op.

Nu is het zover, dacht ik. Nu ben ik ontmaskerd. Het is de politie.

'Het is Edgar, van Signalen', zei mijn moeder.

Edgar van Signalen.

Fantastische Edgar van Signalen!

Mijn vriend, mijn beste vriend!

Ik was Edgar helemaal vergeten, of, liever gezegd, ik had gewoon niet meer aan hem gedacht.

Moeder werd ongeduldig, op die glimlachende, verbaasde manier van haar.

'Schiet op dan. De tikken tellen door bij Edgar.'

Ik holde naar de hal. De hoorn lag voor het zwarte toestel op het ladekastje. Ik pakte hem op en hoorde Edgars ademhaling aan de andere kant van de stad.

'Ik bel', zei hij.

'Dat hoor ik', zei ik.

'Ik hou me aan de afspraak.'

Nu de eerste opluchting voorbij was, was ik niet meer opgelucht.

'Wat wil je?'

'We hadden een afspraak, toch? Dat we zouden bellen.'

Maar iemand moest hoe dan ook als eerste bellen. We konden niet tegelijk bellen. Dan zouden we alleen maar de ingesprektoon bij elkaar krijgen. Dat was de logica van de afspraak. Een van ons beiden moest zich er het best aan houden. In dit geval was dat Edgar.

'Ben je daar nog?' vroeg Edgar.

'Ja.'

'Ik kan wel naar jou toe komen.'

'Ik ook.'

Edgar lachte.

'Kun jij ook wel naar jou toe komen?'

Ik had geen zin om ook maar ergens naartoe te gaan. En ik had er ook geen zin in dat Edgar ergens naartoe ging. Ik had er geen zin in dat iemand ook maar ergens heen ging. Maar ik moest kiezen. Er was geen ontkomen aan.

'Ik bedoelde naar jou', zei ik.

'Dat snapte ik wel.'

'Mooi zo.'

Het bleef een poosje stil aan de telefoon. Even dacht ik dat Edgar had opgehangen. Dat had hij helaas niet.

'Wat wordt het?' vroeg hij.

'Wordt wat?'

'Zal ik naar jou komen of omgekeerd?'

'Omgekeerd.'

Toen ik ten slotte ophing, uitgeput en bezweet, stond mijn moeder in de deur van de keuken met een leeg glas in haar hand.

'Was dat echt Edgar?' vroeg ze.

Ik knikte.

Dat was het echt. Het was echt Edgar.

Moeder had een melksnor, twee witte vleugels boven haar mond als ze glimlachte, ze had daar, met andere woorden, al een poosje staan luisteren.

'Het is niet altijd gemakkelijk', zei ze.

Ik voelde me plotseling grenzeloos oud, ja, bejaard bijna, toen mijn moeder dat zei, en werd overvallen door een ernst die me nog ouder maakte, ik stond zogezegd aan de rand van het graf.

'Nee, dat is het niet', zei ik.

Ik liep terug naar mijn kamer en bleef verder wachten op de ontmaskering.

Die kwam niet.

Avond na avond zat ik daar huiswerk te maken, te wachten en huiswerk te maken, maar ik kon me niet concentreren, want ik dacht aan Halvorsen in de Eckerbergs gate en nu was het bijna een troost om in plaats daarvan te denken aan Edgar en de afspraak die we hadden, maar ook al probeerde ik aan hem te denken, het lukte me niet, Halvorsen was in mijn gedachten en vulde die tot de rand met alle onrust die er maar te vinden was. Misschien wachtte Halvorsen nog steeds op zijn bloemen, misschien waren die ter ere van een huwelijksdag, een verjaardag, een jubileum, en toen de bloemen niet kwamen liep dat uit op een verbit-terde ruzie, een handgemeen en een scheiding, en uiteinde-lijk zou een gebroken Halvorsen verhaal komen halen bij Finsens Flora en met eigen ogen zien dat de handtekening vervalst was en dan zou ik me moeten verantwoorden. Of misschien wisten ze niet dat iemand hun bloemen had ge-stuurd en moest het een verrassing zijn, terwijl de stakker die ze gestuurd had ongeduldig op een telefoontje wachtte, een bedankje, een briefje, op zijn minst een teken van le-ven, en als dat niet kwam, iets wat een teken van opperste ondankbaarheid was, zou dat onherstelbare schade aanrich-ten, vriendschappen konden verbroken worden, families uit elkaar gerukt, naties konden ten oorlog trekken. Ik kon de schuld op Maria Quisling schuiven. Wie zouden ze eerder geloven, mij of haar? Ik kon gewoon zeggen dat ik het pakje bij Maria Quisling had afgeleverd, omdat Halvorsen niet thuis was. Maar hoe verklaar je dan de valse handtekening van Halvorsen? Kun je daar antwoord op geven, achterbak-se bloemenbezorger? Omdat Maria Quisling die geschreven heeft. Maria Quisling heet geen Halvorsen, haar eigenlijke naam is Vasiljevna Pasetsjnikova! Zo zat ik te denken. En op een avond kwam mijn vader mijn kamer binnen.

'Stoor ik?' vroeg hij.

'Ja.'

Hij deed toch de deur dicht en nam plaats op de bed-bank. Daar bleef hij een poosje zitten en vroeg toen: 'Hoe gaat het met de gitaar?'

'Goed.'

'Fender. Heet-ie niet zo?'

'Fender Stratocaster.'

76

'Ja, ja. Fender Stratocaster. Is die elektrisch?'

'Ja.'

'Wat lees je?'

'Huiswerk.'

'Goed zo. Wiskunde?'

'Literatuurgeschiedenis.'

'Dat moet je natuurlijk ook leren. Ik zal je verder niet meer storen.'

Vader stond op en ging weer zitten.

'Je houdt toch wel een goede boekhouding bij van alle bloemen die je bezorgt?'

'Ik geloof van wel.'

'Dat geloof je? Boekhouden is niet zo vaag als de literatuur die je leest.'

'Het is literatuurgeschiedenis.'

'Weet je bijvoorbeeld wat debet is?'

'Nee, vader.'

'"Debet" is Latijn en betekent "hij is schuldig". Weet je wat "credit" betekent?'

'"Hij is onschuldig".'

Vader lachte een hele poos.

'Die ga ik morgen op de bank vertellen. Vind je dat goed? Dat ik die morgen op de bank vertel?'

'Ja, vader.'

'Credit betekent "te goed hebben" en hoort aan de rechterkant van de kolom te staan, terwijl debet altijd links staat. Nu kun je het.'

'Ja, vader.'

'Dus zeg eens, sta je in debet of credit?'

'Debet', zei ik.

'Debet? Echt waar? Ben je schuldig?'

'Ik bedoel credit, vader.'

'Als je een goede encyclopedie had gehad, had je het gewoon daarin kunnen opzoeken. Bij debet en credit.'

Ik zei niks en staarde naar de letters die ronddreven als vliegen in een bord troebel water en het was net of ik door daar zo te zitten natte handen kreeg.

Vader kwam voor de laatste keer die avond moeizaam overeind, maar bleef bij de deur staan.

'En wat moet je met een elektrische gitaar als je geen versterker hebt?' vroeg hij.

'Ik kan de gitaar in de radio pluggen.'

'In de radio? En als je op de gitaar speelt hoor je alleen het weerbericht? Of de visserijberichten?'

Vader lachte weer.

Ik deed er, uit consideratie voor ons beiden, het zwijgen toe.

Toen hij vond dat hij lang genoeg had gelachen, zei mijn vader: 'Denk nog eens na over die encyclopedie, hm? Die heeft geen versterker nodig.'

Die nacht, toen mijn ouders waren gaan slapen en Gundersen, de Fluiter en Tom Curling zich niet koest konden houden en ik het niet meer uithield, sloop ik de trap af en volgde de witte streep van de maan naar de Bygdøy allé waar aan weerszijden de zwarte bomen stonden, als magere nachtmerries, gesneden uit houtskool. Ik bleef maar rennen. Mijn hart was een strijkijzer dat gaten door merg en been brandde. Mijn handen waren nat en stroomden als regen uit mijn armen. Ik bleef staan voor Bruns Muziekhandel. Er was iets mis. Ik kwam dichterbij. De Fender

Stratocaster stond er niet meer. De elektrische gitaar was vervangen door een vertrapt boeket, een boeket kapotte anjers. Het prijskaartje was aan een geknakte steel bevestigd, maar het bedrag was doorgestreept en in plaats daarvan stond er: 463 dagen en 8 minuten.

De tweede nacht baadden de straten van Skillebekk in een fel licht, ook al was er geen maan te bekennen aan de hemel. Ik bleef op de hoek van de Svoldergate en de Gabels gate staan en keek naar wat er allemaal in die wonderlijke zon gebeurde. Iemand maakte een film van onze straten. De trottoirs waren bedekt met aarde. De auto's waren vervangen door paarden. Voor alle ramen hingen andere gordijnen. De tijd was teruggedraaid naar de vorige eeuw. Er kwam een man naast me staan. Het was de repetitor. De blauwe bloem in zijn knoopsgat was verwelkt. Hij kwam weer naar me toe en hield zich dus niet aan wat ik had beloofd, met mijn hand op mijn hart, namelijk dat hij zich nooit meer zou laten zien en hoe kun je mij dan vertrouwen?

'Wat gebeurt hier?' vroeg ik.

'Zie je dat niet? Jij die zulke goede ogen hebt?'

Ik zei: 'Ik word verblind.'

'Daar moet je maar aan wennen.'

'Hoe dan?'

'Door nog beter te kijken. Ontmoet de blikken. Zoek een blik die je kunt ontmoeten. Dat is het enige wat helpt.'

En ik keek nog beter en ik zag schaduwen die me in het schijnwerperlicht verblindden, die onaffe personages, bedachtzaam, vreemd, wild, welwillend, raar, trots, gekweld, gemeen, aardig, verslagen en herrezen, al die wonderlijke types die buiten de hoek van de camera stonden.

'Wie zijn dat?' vroeg ik.

De repetitor legde zijn hand op mijn schouder.

'Op een mooie dag zul je ze wel herkennen, jongen.'

'Hoe dan?'

'Dit zijn jouw mensen.'

Mijn mensen?

Ik snapte niet wat hij bedoelde. Maar ik zag hen. Ik had hen gezien. Ik weet uiteraard niet of ze mij konden zien. Naar alle waarschijnlijkheid niet. Want nu werden zij, en niet ik, door het witte licht in hun gezicht geschenen. Ik stond aan de andere kant.

'Ken je hen?' vroeg ik.

De repetitor lachte zachtjes.

'Weet je niet wie ik ben?'

'Jawel. Jij bent de repetitor van Chat Noir.'

Hij lachte weer zachtjes.

'Niet alleen van Chat Noir, jongeman. Ik heb met iedereen geoefend.'

Ik snapte nog steeds niet wat hij bedoelde.

'Niet met mij', zei ik.

'O, jawel hoor. Ik ben net begonnen ook met jou te oefenen.'

De repetitor streelde met zijn warme hand over mijn voorhoofd, keerde me de rug toe en liep weg, dwars door Skillebekk.

Toen werd het de grote regisseur te veel en hij joeg alle toeschouwers weg en wilde rust hebben, maar ze kwamen terug, opdringerig en verlegen, elke keer dichter bij de schijnwerpers, als motten, nog even en ze brandden hun vingers, en ten slotte gaf de regisseur het op, hij vroeg de arme acteurs hun plaats in te nemen, deed de lampen uit en hulde onze straten weer in hun gebruikelijke duisternis.

De volgende nacht kwam mijn moeder. Ze kwam terwijl ik droomde dat iemand alle straatnaambordjes in de stad verwisselde. De Niels Juels gate werd de Munkedamsvei. Het Vestkanttorg werd de Riddervolds plass. Wergelands-veien werd de Welhavens gate. Zo ging het maar door. En toen de mensen wakker werden, woonden ze op onbekende adressen en ze konden de weg terug niet vinden en niemand kon hen vinden. Het enige wat bij het oude bleef was de August aveny, Haxthausens gate 17 en Bruns Muziek-handel, want die adressen kan alleen ik veranderen. Mijn moeder ging op de rand van het bed zitten en legde haar hand op mijn voorhoofd. Ze fixeerde me, of ik wilde of niet. Mijn moeder tilde me voorzichtig op uit deze droom. Mijn moeder was weer magisch.

'Je hebt koorts gehad', zei ze.

'En jij bent in de donkere kamer geweest.'

'Hoe weet je dat?'

'Dat ruik ik', zei ik.

Moeder glimlachte.

'De foto's van deze zomer zijn bijna klaar. Wil je ze zien?'

'Nee.'

Moeders stem, zacht, verbaasd: 'Nee? Wil je ze niet zien?'

'Nee', zei ik.

'En ze zijn nog wel zo mooi geworden. Vooral die waar jij op de duikplank staat. Met Edgar. Jij bent het bruinst van iedereen.'

'Hoe kun je dat zien als het zwart-wit is?'

'Het zijn dit jaar kleurenfoto's', zei moeder.

'Ik wil ze niet zien.'

Plotseling trilde moeders hand. Daarna werd hij weer rustig.

'Het is nu voorbij', fluisterde ze. 'De koorts is weg.'

Toen gebeurde er iets, dat wil zeggen, er gebeurde iets niet.

Ik deed mijn ogen open en keek om me heen.

'Hoor je dat?' vroeg ik.

'Wat?'

'Het is helemaal stil.'

Moeder luisterde even.

'Ja, warempel.'

Er was in het hele gebouw geen geluid te horen, geen stenen die over Tom Curlings geboende linoleum gleden, geen flessen die ronddraaiden op Gundersens ovale salontafel en tot slot, maar niet in de laatste plaats, geen gefluit, geen kik, nog geen piepje, de Fluiter floot niet meer, de laatste *Que sera, sera* had zijn lippen verlaten en de opera van het huis was van het affiche gehaald.

Vader kwam ook aangerend, een bezorgde kassier in pyjama.

'Wat is er aan de hand? Is hij ziek? Moeten we de dokter bellen?'

Moeder draaide zich naar hem om en schudde haar hoofd.

'Hoor je het niet?'

'Nee. Wat dan?'

'Het is helemaal stil.'

Vader bleef staan, keek om zich heen, verbijsterd, en

glimlachte breed, alsof hij een tot nu toe onbekend getal had ontdekt, dat buiten alle kolommen viel.

'Wel heb je ooit', zei hij.

Nu konden we in Skillebekk slapen als engeltjes.

De Fluiter was eindelijk tot zwijgen gebracht.

En zo werd het verhaal ons verteld, het verhaal dat al snel iedereen in de buurt kende, zij het in zeer uiteenlopende versies, want hoewel het einde altijd min of meer hetzelfde was, konden de mensen het nooit eens worden over het exacte handelingsverloop, de merkwaardige opeenvolging van gebeurtenissen, maar deze variant is in elk geval de mijne en ik kan er, waar ook ter wereld, mijn hand voor in het vuur steken: de Fluiter was in elkaar geslagen. Het was diezelfde dag gebeurd. Hij was zoals gewoonlijk in de richting van het Vestbanestation gelopen. Hij stond graag op het plein voor het raadhuis te fluiten. Dat plein had namelijk een bijzondere akoestiek, terwijl hij daar tegelijkertijd de uitdaging met de fjord aan kon gaan, wat kracht en volharding betrof. Bij het stoplicht tussen de staatsslijterij en de Amerikaanse ambassade moest hij wachten voor rood licht. De Fluiter bleef staan. Hij was gekleed in zijn gebruikelijke grijze herfstjas, die ongeveer tot zijn enkels kwam, droeg een slappe, zwarte hoed met een diepe gleuf en een witte zijden sjaal, nonchalant anderhalf keer om zijn nek geslagen. Sommigen zeiden dat hij 'Zwei kleine Italiener' floot tijdens het wachten. Anderen beweren, net zo stellig, dat hij de onweerstaanbare klassieker 'Singin' in the Rain' floot in de Drammensvei, in die noodlotszwangere minuten, eind oktober 1965, ook al regende het niet en scheen de zon zelfs, je kon deze dag bijna een Indian summer noemen. Ikzelf weet dus zeker dat het 'Que sera, sera' was. De Fluiter floot 'Que sera, sera' en toen kwamen twee forse kerels naast hem staan, ze droegen allebei een zwaar plastic tasje van de staatsslijterij en veel mensen beweren dat ze al aardig op slok waren, zoals men dat destijds in Skillebekk noemde. Maar dat is volgens mij vrij onwaarschijnlijk, want dan hadden ze niet twee flessen driesterrencognac mogen kopen in de staatswinkel, iets wat ze klaarblijkelijk net hadden gedaan.

'Fluit jij naar ons?' vroeg de ene.

Zijn toon was niet vriendelijk.

Maar de Fluiter begreep niet helemaal wat ze bedoelden, want hij was altijd goedgelovig en geloofde daarom in het beste in alle mensen, wat in de meeste gevallen helaas een vergissing is.

'Is het geen prachtige dag', zei de Fluiter.

Dat antwoord kalmeerde de mannen in het geheel niet.

'Fluit jij naar ons?' herhaalde de ander.

Nu gunde de Fluiter zich een paar seconden bedenktijd, niet omdat hij onraad bespeurde, maar omdat hij een antwoord wilde vinden dat de vervoering die hij op dat moment voelde beschreef.

'Ik fluit naar het leven zelf', zei hij.

Een dergelijke opmerking maakte de stemming ook niet vriendelijker. Als het licht sneller op groen was gesprongen, had alles wat nu veel te snel zou gebeuren misschien vermeden kunnen worden. Maar het voetgangerslicht stond nog steeds op rood. De Fluiter begon weer te fluiten en dit keer zijn de meesten het erover eens welke melodie het was, hij floot namelijk een zeer gevoelige versie van Zarah Leanders juweeltje 'Vill ni se en stjärna, se på mig', al zijn

84

er nog steeds mensen in de August aveny die hardnekkig volhouden dat het 'I can't give you anything but love' was.

De mannen keken elkaar aan.

De eerste zei: 'Ik geloof verdomme dat die schoorsteenveger naar ons staat te fluiten.'

In de korte pauze tussen de strofe en het refrein zei de Fluiter, en dat was ook het laatste wat hij kon zeggen, om niet te zeggen fluiten: 'Zijn jullie soms van buiten de stad, jongens?'

Toen sloegen ze.

Ze bleven slaan tot het licht eindelijk op groen sprong.

Daarna liepen de daders verder in de richting van de Amerikaanse ambassade, ieder met een plastic zak vol drank, en ze zijn nooit gepakt.

De volgende ochtend kwam de Fluiter vreselijk toegetakeld thuis, naar Skillebekk, zonder voortanden, met vijf hechtingen in zijn onderlip, twee in beide mondhoeken en een ijzeren plaat in zijn linkerkaak.

De Fluiter was, zoals gezegd, tot zwijgen gebracht.

Maar datgene wat we tot voor kort nauwelijks hadden kunnen verdragen en waar we ten koste van alles aan wilden ontsnappen, bleken we nu te missen. Verbaasd, bijna beschaamd moesten we toegeven: we misten het fluiten. We misten de vrolijke trillers. We misten de opgewekte, zuivere wijsjes. We misten de meeslepende meezingers, ja, we snakten er zelfs naar 'Es schrie ein Vogel' te horen. We wilden dat het huis weer uit de dood zou herrijzen. We wilden dat de Fluiter naar Walcheren zou gaan om daar Europees kampioen kunstfluiten te worden, voor Skillebekk. Maar de tijd van het kunstfluiten was voorbij. Het begon langzaam maar zeker bergafwaarts te gaan en het optimistische, speelse, ja bijna frivole karakter van het fluiten paste niet meer. En wie fluit, moet alle tijd hebben. In plaats daarvan werden er leuzen bovenaan op het affiche gezet. Fluiten was een belediging geworden. De bolle wangen werden naar binnen gezogen, in magere, argwanende gezichten.

De vogel was gevlogen uit de mond van de Fluiter.

Het was tijd voor spijt, melancholie en boekhouden.

Het was bijna tijd voor november.

Ik had een afspraak.

Edgar woonde in de Grubbegate. Ik had nog nooit bloemen bezorgd in de Grubbegate en zou dat ook nooit doen. De Grubbegate bestond niet in de Bijbel van de Bloemenbezorger. Die lag buiten de kaart. Ik nam eerst de tram naar het Nationaltheater. Daarvandaan moest ik een stukje door de Karl Johan lopen, die op deze tijd van de dag, als de winkels dicht zijn en de bioscopen nog niet open, bijna uitgestorven was, een verlaten vlakte van klinkers en lantaarnpalen. Alleen Ibsen en Bjørnson stonden daar op hun sokkels, de ene nors en gesloten, de ander poserend, met open jas en vooruitgestoken borst. Ze waren een spook en een vrolijke knaap. Bij het Storting, het parlementsgebouw, sloeg ik linksaf en stak daardoor een onzichtbare, maar desalniettemin scherpe grens in de stad over, bij wijze van spreken, ja, de straat waar ik doorheen liep heet zelfs Grensen, zodat er geen twijfel over kon bestaan waar je je bevond, en alle steden, vooral hoofdsteden, zijn in tweeën gedeeld, vaak door een rivier, en elke oever is een eigen wereld en windrichting, de Seine, de Theems, de Donau, de Moldau, de Akerselv, en er worden mooie, melancholieke liederen over die rivieren geschreven, vaak met veel verzen, omdat ze ook door onszelf stromen en ons opsplitsen in oevers die we nauwelijks hebben bezocht. Na Grensen liep ik door de Akersgate, langs de kantoren van de kranten, waar nog licht brandde achter de ramen en waar je het opgewonden geluid van typemachines van verre kon horen en dat deed me denken aan het liedje dat ik maar niet uit mijn hoofd kreeg, *Listen, do you want to know a secret, do you promise not to tell.* Ik liet de Arne Garborgs plass achter me. Arne Garborg schreef de roman *Moede Mannen* ongeveer in hetzelfde jaar als waarin Obstfelder 'Ik zie' schreef. Ik nam aan dat ze allebei moe waren. Nu rustten ze waarschijnlijk uit in de stapelbedden in de Deichmanske Bibliotheek. Ik was ook behoorlijk moe, en zou daar ook graag zijn gaan liggen.

Ik had de Grubbegate bereikt.

Edgar wachtte al buiten op de trap, of misschien had hij gewoon het vuilnis naar beneden gebracht, maar hij had geen emmer bij zich, daarom was het waarschijnlijker dat hij van de buitenplee op de binnenplaats kwam.

'Hallo, Edgar', zei ik.

'Hoi', zei hij.

'Ja, hallo', zei ik nogmaals.

We bleven staan en namen elkaar op. Ik weet niet goed waar we naar keken. Edgar was een keer verbrand toen hij met zijn luchtbed midden op de fjord lag te dobberen. Nu liep er een soort wit litteken schuin over zijn voorhoofd, een smalle vlek waar zijn huid lichter was dan elders. Leek Edgar daardoor anders? Herkende ik hem daardoor nauwelijks en voelde ik me daarom enigszins onbehaaglijk?

'Fijn dat je kon komen', zei hij.

'Tuurlijk.'

Ik liep met Edgar mee naar binnen. Hij was blijkbaar alleen thuis. Op het aanrecht stond een kan limonade. Edgar spoelde zijn handen af onder de kraan en schonk twee glazen in. We dronken. Het smaakte naar aalbessen. Het was waterig. Het deed me denken aan de zomer die allang voorbij was en dat maakte me onrustig, beschaamd bijna. Ik weet niet waarom, maar ik schaamde me dus toen ik daar in Edgars keuken die waterige aalbessenlimonade stond te drinken – alsof alle korte, rusteloze zomers er met de rest van mijn leven in waren aangelengd – ook al was er niks waar ik me voor hoefde te schamen, voor zover ik wist, wat zou dat moeten zijn, afgezien van de bloemen voor Halvorsen, maar daar had Edgar niks mee te maken. Aan een snoer dat boven het fornuis was gespannen en dat met twee haken in de muur vastzat, hingen kleren te drogen. Ik telde vier geruite sokken, een nethemd en een blauw overhemd met korte mouwen. We gingen bij het raam staan en zeiden niks en het enige waar ik aan kon denken was: hoelang kon je hier blijven staan zonder een woord te zeggen? Mijn troost was dat de tijd hoe dan ook doorliep en als hij lang genoeg gelopen had, een uur bijvoorbeeld, kon ik met hem meelopen en naar huis gaan. Het was eigenlijk een schrale troost.

'Kijk', zei Edgar.

Vanuit het raam keken we bijna recht bij de grootste brandweerkazerne van de stad naar binnen. Alle deuren stonden open. In de enorme garages stonden drie brandweerwagens klaar om uit te rukken, op stel en sprong. Twee mannen in zwarte overalls rolden een slang op die nog steeds nadrupte en ik hoorde die druppels als zware stenen vallen op het donkere, gladde asfalt en dat geluid liet het grijze raam voor ons trillen in zijn droge voegen en mijn oogleden beven. Wat me verbaasde, was dat ze zo langzaam en omslachtig werkten, alsof ze alle tijd van de wereld hadden en het allemaal eigenlijk niet belangrijk was.

Ik hoopte dat er ergens brand zou uitbreken.

Maar er brak vanavond nergens brand uit, afgezien van onder mijn voeten, en wie kan zulke vlammen doven? Niemand. Het enige wat helpt als de grond onder je voeten brandt, is lopen, snel lopen, maakt niet uit waarnaartoe, maakt niet uit in welke richting, gewoon lopen. Ik bleef staan, naast Edgar. Ik had ook een droge mond. De aalbessenlimonade hielp ook niet, integendeel zelfs, want die bijna onmerkbare smaak van zomers die voorbij waren, altijd voorbij, vervulden me van iets waar ik nog geen woorden voor had, het was melancholie, en dat gevoel, of die toestand, die sommigen ook een karaktertrek noemen, die melancholieke karaktertrek, vervulde me tot de rand terwijl ik het glas met de waterige limonade leegdronk en het neerzette op het aanrecht, in de war en nog steeds even dorstig.

En ik begreep waarom ik me schaamde, het was pijnlijk eenvoudig, ik schaamde me omdat ik geen zin had om hier te zijn en omdat ik alleen maar hier, naar de Grubbegate was gekomen om aardig te zijn tegen een jongen die Edgar heette.

Edgar was misschien grappig op Nesodden, maar niet in de stad.

We hadden niks om over te praten.

Daarom zei ik het stomste wat ik in lange tijd had gezegd.

'Ga jij brandweerman worden?' vroeg ik.

Het duurde even voordat Edgar antwoord gaf.

'Brandweerman? Waarom dat?'

Ik haalde mijn schouders op.

'Omdat je vlak bij de brandweer woont.'

Edgar haalde ook zijn schouders op.

'Als je vlak bij een kerk woont, hoef je toch nog geen dominee te worden', zei hij.

'Daar heb je volkomen gelijk in', zei ik.

We kwamen in de buurt van een gesprek. We praatten bijna samen.

Maar toen bleven we weer in de woorden steken.

De straatlantaarns gingen aan. Het licht dat ze gaven was bleek en zo zwak dat het trottoir tussen de lantaarnpalen in een diepe duisternis lag. Het was een licht waar honden in konden pissen. Ik snakte naar alarmbellen en sirenes en vlammen die zo hoog waren dat er een grasbrand op de maan uitbrak.

Na weer een poosje zei Edgar: 'Het is inloopavond bij de Hammersborg Vrijetijdsclub.'

'O ja?'

'We kunnen ernaartoe gaan voor een spelletje carrom.'

'Waarom geen badminton?'

'Heb je geen zin in carrom?'

'Misschien', zei ik.

Maar we gingen helemaal nergens heen. We wachtten bij het raam en zagen de brandweer geen enkele keer uitrukken. Binnenkort hielden ze het daar ook voor gezien en sloten ze de poorten.

We zwegen ongeveer een uur lang.

Nu kon ik bijna naar huis.

Toen zei Edgar toch iets.

'Zal ik je eens iets laten zien?' vroeg hij.

Alles was beter dan dit.

'Mij best', zei ik.

Ik liep achter Edgar aan naar de woonkamer waar een bruine slaapbank tegen de wand stond, naast een boekenkast. Hij deed een lamp aan en pakte een blik van de bovenste plank, het leek op een gewoon, rood koekblik, zo eentje waar je kerstkoekjes in doet, en ik hoopte vurig dat het geen oude, droge stroopkoekjes waren, die ik noodgedwongen zou moeten opeten voordat ik wegging. Hij haalde voorzichtig het deksel eraf en wenkte me dichterbij. Ik boog me voorover en keek. Op de bodem van het blik lag een grijze klomp, niet veel groter dan een muntje van 50 øre, behalve dan dat deze bol was en niet plat. Ik had geen idee wat het was. Het kon van alles zijn. Het konden de laatste restjes zijn van een diner van twee jaar geleden. Het kon het inwendige van een mossel zijn. Het kon de mummie van een slak zijn, of oud snot. Ik wist alleen dat ik eigenlijk helemaal niet wilde weten wat het was.

'Wat is het?' vroeg ik.

'Raad eens.'

'Een dood parkietje.'

'Nog een keer.'

'Een hondendrol.'

'Doe niet zo raar.'

'Je blindedarm.'

'Je wordt warm.'

'Ik geef het op.'

Edgar lachte.

'Dat is mijn oog', zei Edgar.

Hij hield het droge hompje omhoog en je kon inderdaad zien dat het ooit een oog was geweest, een grijs vlies, als huid bijna, over een harde spier getrokken, en ik dacht, tot ik niet meer durfde te kijken, dat alles wat dit oog had gezien misschien ook wel in het koekblik lag.

Het was beter geweest als er stroopkoekjes in gezeten hadden.

Edgar wees trots op zichzelf.

'Glas', zei Edgar.

Ik deed een stap achteruit en keek, met tegenzin, naar Edgar. Nu zag ik wat er mis was met zijn gezicht. Het was zijn rechteroog. Dat stond stil. Het was net alsof de hele Edgar rond dit oog draaide. Dit oog was de zon en Edgar was de aarde. Maar de zon scheen niet. Zijn rechteroog was van glas en staarde me op een merkwaardige manier aan, was een blinde, kleurloze knikker en ik werd duizelig en onwel als ik er alleen al naar keek.

'Jezus', zei ik.

'Ik heb een stalen kram in mijn oog gekregen', zei Edgar.

'Wanneer dan?'

'Op de eerste schooldag.'

Opeens kwam Edgar dichterbij en voordat ik besefte wat er gebeurde, had hij zijn glazen oog uit de kas gehaald, het ging zo snel dat ik het nauwelijks merkte en daarom kon ik hem ook niet tegenhouden, want dat had ik graag gedaan, hij deed het met een speciaal trucje, zo'n beetje als de conducteur op de Frognertram als die het wisselgeld uit zijn tas klikt, en nu keek ik recht in een zwarte, diepe spleet, ja, ik kon bij wijze van spreken de hele binnenkant van zijn hoofd zien en ik was even bang dat zijn hersenen eruit zou sijpelen en op mijn schoenen zouden druipen. Het was, met andere woorden, geen fraaie aanblik.

'Gaaf', zei ik.

Edgar drukte het oog weer op zijn plek, net zo snel, en deed het deksel op het blik.

'Wil je een boterham?' vroeg hij.

Toen ik die avond naar huis ging, wist ik dat ik Edgar volgend jaar niet zou opzoeken op Nesodden. Ik voelde me niet triest of blij. Er was iets voorbij en dat was onvermijdelijk. Je kunt geen zomervriend hebben in de herfst. Zo is dat gewoon.

Maar de Fender Stratocaster wachtte nog steeds in de etalage van Bruns Muziekhandel, ik bleef er bijna een half uur staan, voor deze elektrische droom van gelakt esdoornhout, die verder weg was dan ooit.

Het werd november.

En november is, zoals iedereen weet, een slechte maand voor bloemen. November is de maand dat bloemen worden teruggestuurd en sterven in vazen met brak water vol peuken, ze verwelken in aarde die harder is dan ijzer en droger dan aspirine, in potten die barsten en op de grond vallen. Zelfs de geuren verdwijnen in november uit de bladeren en het enige wat overblijft is tabak, schaduwen en zweet.

November is een sombere broeikas.

Finsen Zelf stond in een berg stelen niks te doen.

Mevrouw Finsen Zelf maakte het enige pakketje van deze week klaar, een klein boeketje anjers.

'Vraag Finsen Zelf of hij thuis veel bloemen heeft staan', zei ze plotseling.

'Heb jij thuis veel bloemen staan?' vroeg ik.

Finsen Zelf staarde me aan, zijn blik was grauw als een asbak.

'Nog geen kale stengel', zei hij.

Mevrouw Finsen Zelf zuchtte luid.

'Het lijkt er wel een woestijn.'

Nu werd Finsen Zelf kwaad. Hij draaide zich om naar mij, alsof ik iets gezegd had. Zijn wenkbrauwen waren borstelig als in een stomme film. Zijn gezicht was geel.

'Heeft de bakker zijn huis vol brood staan, nou? Heeft de timmerman zijn keuken volgestouwd met planken? Heeft de generaal zijn woonkamer vol staan met kanonnen? Nou?'

'Misschien', zei ik.

'Val me niet in de rede! Want dit wil ik even gezegd hebben. Ik heb een pesthekel aan bloemen. Ze kosten tijd. Ze zijn veeleisend. Ze stinken. Ze gaan dood. Tevreden?'

Hij moest erbij gaan zitten en rolde een slap shagje dat aan beide uiteinden uitviel.

Mevrouw Finsen Zelf lachte terwijl ze het adreskaartje vastplakte.

'Net als jij. Behalve dan dat jij nog niet dood bent.'

Het pakketje was klaar, ze legde het op zijn schoot.

Finsen Zelf keek er lange tijd naar. Daarna keek hij naar mij.

'Hier ben je eerder geweest', zei hij.

'O ja?'

'Ja, zeker. En nu moet je er weer naartoe. Met anjers.'

Nu gebeurt het, dacht ik. Nu ben ik ontmaskerd. Halvorsen is hier geweest en nu gaat Finsen Zelf me begraven in afgesneden stelen en natte kranten en me de rest van november martelen.

Ik had een kurkdroge mond.

'Anjers', fluisterde ik.

Finsen Zelf stond op.

'Ja. Anjers. Kun je niet meer praten? Heb je je tong verloren? Of je verstand? Wat weet jij van anjers?'

Ik had nu kunnen bekennen en misschien een milder oordeel kunnen krijgen, strafvermindering. Waarom was dat zo moeilijk? Waarom is het zo moeilijk om te zeggen hoe het ervoor staat, als de leugen alleen maar van kwaad tot erger leidt?

'Van anjers niet zo veel', zei ik.

'Nee, dat dacht ik wel. Luister dan maar eens goed, meneer 2 kronen en 10 øre! Anjers, snap je, die kun je in je knoopsgat steken als je naar een bruiloft moet en op het deksel van de kist leggen bij een begrafenis. Anjers zijn versiering en verderf. Anjers, deze anjers, zijn zowel corsage als lijkkrans. Snapt de bloemenbezorger wat ik bedoel?'

Mijn rug was natter dan een krant.

'Ik bezorg de bloemen alleen', zei ik.

Finsen Zelf kwam dichterbij, met het pakketje als een witte bom in zijn handen.

'En bloemen, snap je, zijn niet te vertrouwen. Snap je nu wat ik bedoel?'

Waarschijnlijk had iemand het mishandelde boeket in de vuilnisbak op de binnenplaats in de schaduwen van de Tors gate gevonden en het bij Finsens Flora afgeleverd. Ik snapte wat hij bedoelde. Het was afgelopen met mij.

'Nee', zei ik.

'Jij bent vandaag wel erg traag van begrip. Heb jij ook last van november?'

'Ik geloof haast van wel.'

Mevrouw Finsen Zelf goot oude potgrond in een emmer en haar handen waren bijna zwart.

'Plaag die jongen niet zo. Kom ter zake.'

Finsen Zelf haalde diep adem.

'Wat ik bedoel is dat ik verdorie mijn huis niet vol wil hebben staan met dingen die ik niet kan vertrouwen. Is dat zo moeilijk te begrijpen?'

Eindelijk gaf hij me het pakketje. Ik keek naar het adreskaartje. Ik was onsterfelijk. Het pakketje was toch niet voor Halvorsen in de Eckerbergs gate. Het was voor iemand anders waar ik al eerder was geweest. Ik zei de naam hardop in mezelf. *Aurora*. Ik kon de r zeggen. Voor het eerst kon ik mijn r laten rollen.

Aurora Stern, Haxthausens gate 17, Oslo 2.

Ik was vrijgesproken in november.

Er lag nog geen sneeuw, het had alleen gevroren, dus ik kon nog steeds fietsen, maar ik moest wel een sjaal en wanten dragen en beide handen aan het stuur houden. De kinderkopjes van de Frognervei glinsterden als glas tussen de tramrails. Een heuvel oprijden was nog nooit zo gemakkelijk geweest als die dag. Ik zat helemaal tot in de Haxthausens gate rotsvast op het zadel, en het rook naar versgebakken brood uit de bakkerij in de krappe bocht, het rook naar korst en suiker, dat was me de vorige keer niet opgevallen, nu viel het me wel op, ik parkeerde voor nummer 17, deed het slot om het voorwiel en belde aan op de verdieping zonder naam. Deze keer duurde het niet lang voordat er een zoemer ging en ik duwde de deur open, holde met het pakketje alle trappen op en bleef buiten adem staan op de tweede verdieping, voor Aurora Sterns naamloze deur. Die stond op een kier. Ik wachtte. Na een poosje klopte ik aan en wachtte weer. Toen hoorde ik haar stem, ergens van ver.

'Kom binnen.'

Ik deed wat ze zei. Zij vroeg het en ik gehoorzaamde. Het was nog steeds even donker in de hal. Het rook nog steeds naar apotheek en parfum. Ik wist niet goed of ik de deur dicht moest doen of hem open moest laten staan. Ik kon haar niet zien. Ik trok mijn wanten uit.

'Doe de deur dicht, alsjeblieft. Het tocht.'

Ik draaide me om naar de woonkamer. Daar stond Aurora Stern, met een flakkerende kaars in haar sterke handen. Ze droeg een strakke, zwarte jurk en om haar hals hing een glanzende parelketting. Dat herinner ik me nog steeds, de lange zwarte jurk en de witte parelketting, want op het moment dat ik haar zo zag, dacht ik, zonder dat ik wist wat het betekende: ze heeft zich opgedoft. Haar gezicht lag in de schaduw. Ik deed de deur dicht. De vlam kwam tot rust.

'Is het erg koud buiten?' vroeg ze.

'Best wel.'

Ik deed snel mijn muts af. Dat was ik vergeten. Ik sloeg mijn ogen neer.

'Neem me niet kwalijk.'

Aurora Stern lachte.

'Je mag hem best ophouden.'

'Ik kom bloemen brengen.'

Ik stak haar het strookje en de pen toe. Ze bleef staan,

97

met de brandende kaars in haar handen.

'Haal ze voor me uit het papier.'

'Wat?'

'Je hebt me wel gehoord. Haal ze voor me uit het papier.'

Ik stopte het strookje en de balpen in mijn jaszak, maakte het touwtje los en tilde het boeket, zeven anjers, voorzichtig uit het papier. Ook ditmaal zat er geen kaartje bij, geen groeten van iemand. Het natte zijdepapier rond de stelen drupte. Ik wist niet wat ik moest doen. Ik liet het papier op de grond vallen.

Uiteindelijk vroeg ik: 'Zal ik ze in een vaas zetten?'

Ze keek me aan, over de vlam heen.

'Waar houd jij het meest van, van tulpen of anjers?'

'Tulpen.'

Zodra ik dat gezegd had, had ik al spijt.

'Maar anjers zijn ook mooi', voegde ik er haastig aan toe.

'Kun je niet kiezen?'

'Jawel.'

'Waar houd je dan het meest van? Tulpen of anjers?'

'Rozen', antwoordde ik.

Aurora Stern lachte weer.

'Het is niet gemakkelijk om hoogte van jou te krijgen.'

Ik vroeg: 'Van welke bloemen houd jij het meest?'

Ze keek me verbaasd aan. Ik was al net zo verbaasd.

'Lotussen', zei ze.

'Lotussen?'

'Ik hou van alle bloemen die ik krijg. Geef ze me nu maar.'

Ik bleef staan. Ze tilde de kaars op en ik kon duidelijk haar gezicht zien, haar ogen die te groot leken, misschien omdat ze gewend was in de duisternis te leven, haar mond leek op een snelle, rode streep en haar witte huid, of make-up, liep tot aan de parelketting, waar de zwarte jurk begon.

'Kom je?'

'Zal ik mijn schoenen uitdoen?'

'Dat hoeft niet.'

Ik liep de kamer in en gaf haar de bloemen. Ze gooide ze gewoon op een stoel, alsof ze haar niets meer konden schelen, alsof ze er niet meer toe deden. Ik had niet moeten zeggen dat ik het meest van rozen hield. Dat was niet eens waar. Een bloemenbezorger moet zo min mogelijk zeggen en alleen datgene wat absoluut noodzakelijk is voor een correcte bezorging. De tulp die ik laatst had gebracht stond nog steeds in de vaas, verdord, rood stof, een mummie.

'Je moet tekenen', zei ik.

Ik hield de pen en het strookje klaar.

'Heb je dorst?'

'Dorst?'

'Ja. Dorst. Wil je iets drinken?'

Maar voordat ik antwoord had kunnen geven, en ik had waarschijnlijk nee gezegd, ook al wilde ik eigenlijk ja zeggen, ik heb dorst, zette ze de kaars op een kachel en liep naar de keuken, ik nam aan dat het de keuken was, ik hoorde in elk geval water stromen, een koelkast die open werd gedaan en het lage zoemen van de koelkastmotor. Rozen. Rododendron. Aurora. Ik kon de r zeggen. Ik kon de r twee keer achterelkaar zeggen. Aurora. Ik zei r tegen de tulp en die verdween pal voor mijn ogen, werd verspreid in alle windrichtingen in deze windstille kamer en ik kon niet zien waar hij bleef. De kaars er vlak naast doofde gelukkig niet.

Ik zag een zandloper, maar daar zat geen zand in, het was, toen ik goed keek, zaagsel, een zandloper vol zaagsel, dat is in elk geval wat ik graag wil geloven, dat deze zandloper vol zaagsel zat. Ik was omringd door spullen, siervoorwerpen, frutsels, snuisterijen. Ik rechtte mijn rug en nu kwam er meteen een woord in me op, vreemd en zwaar in mijn mond, mijn lichaam, museum, dat was het woord dat bij me opkwam, zwaar als lood, museum.

Aurora Stern kwam terug en gaf me een flesje mineraalwater en de belletjes die in trosjes opstegen van de bodem explodeerden in mijn hoofd als natte sterren. Ik dronk het flesje in één teug leeg.

'Wil je niet gaan zitten?'

Ze onderbrak zichzelf en schudde haar hoofd.

'Nee, je moet natuurlijk verder. Ik denk zeker dat ik de enige ben bij wie je bloemen bezorgt.'

Ze schreef haar naam op het strookje, de datum en het tijdstip.

Ik ging zitten.

'Heet je echt Aurora Stern?' vroeg ik.

Ze aarzelde even.

'Waarom vraag je dat?'

'Zomaar. Neem me niet kwalijk.'

'Je hoeft je niet overal voor te verontschuldigen. Die nare gewoonte moet je kwijt zien te raken.'

'Neem me niet kwalijk.'

Aurora Stern ging ook zitten, in de diepe fauteuil tegenover me, haar knieën raakten bijna de mijne en ik kon mijn ogen niet van haar handen afhouden die in haar schoot lagen, waar de zwarte jurk over haar dijbenen spande.

'Dat is mijn kunstenaarsnaam', zei ze.

'Wat voor kunst dan?'

Ze boog zich verder naar me toe. Die lucht, of liever gezegd geur, want hij was, zoals gezegd, niet onaangenaam, van apotheek en parfumerie, kwam van haar.

'Het circus is mijn kunst. En in het circus heeft iedereen een kunstenaarsnaam. Peron. Goliat. Solo. Mundus. Want als je bij het circus gaat, laat je degene die je was achter je en moet je opnieuw gedoopt worden. Mij noemden ze Aurora Stern.'

'Dat is een mooie naam.'

'Weet je wat Aurora betekent?'

Ik schudde vaag mijn hoofd.

Ze legde haar handen op mijn knieën.

'De godin van het ochtendrood. Of vlinder. Wat vind je het mooist?'

'Allebei', fluisterde ik.

Ze leunde weer achterover in haar stoel.

'Wil je nog wat mineraalwater?'

'Nee, dank je.'

Ze glimlachte en zei een poosje niets meer.

Ik kon nu natuurlijk vertrekken. Ik had het volste recht om op te staan en de Haxthausens gate 17 te verlaten. Ik had mijn plicht gedaan. De bloemen lagen op de stoel, een slordig bosje anjers. Het was mijn zaak niet wat ze met de bloemen deed, ze kon ermee doen wat ze wilde, als ze maar met naam, datum en tijdstip het strookje had ondertekend.

'Bijna net als bij ons in huis', zei ik.

Aurora Stern keek me recht aan.

'Bijna net als wat?'

'Daar hebben ook veel mensen een kunstenaarsnaam. Tom Curling. En De-fles-die-wijst-naar. De Fluiter. Maar de Fluiter fluit niet meer. Hij is in elkaar geslagen in de Drammensvei. Nu gebruikt hij alleen nog zijn gewone naam. Dat is Arvid Flå. En De-fles-die-wijst-naar noemen we meestal toch gewoon Gundersen, omdat De-fles-die-wijst-naar zo lang is, en dan telt het waarschijnlijk niet.'

Ik hield abrupt mijn mond, alsof ik even mijn eigen stem van buitenaf had gehoord en ik de kans greep mezelf te onderbreken, verlegen. Het was lang geleden dat ik zo veel had gezegd. Ik ben schriftelijk, niet mondeling. Ik ben zwijgzaam en woordenrijk. Ik praat nooit zo aan één stuk door. Misschien kwam het doordat ik die dag de r kon zeggen.

Aurora Stern zette het flesje weg en boog zich weer naar me toe.

'En jij dan? Wat is jouw kunstenaarsnaam?'

'Die heb ik niet.'

'Die krijg je vast nog weleens. Wacht maar.'

Wacht maar.

Maar dit was geen dreigement. Als Aurora Stern die twee woorden zei, wacht maar, klonk het eerder als een belofte en het was aan mij om die waar te maken.

'Wat deed je in het circus?' vroeg ik.

'Deed? Waarom zeg je deed?'

Ik keek weg, nog verlegener.

'Ik bedoel doe. Wat doe je in het circus?'

Ze werd onrustig, of rusteloos, liep naar het raam waar de dikke, wijnrode gordijnen nog steeds dicht waren, en bleef daar staan, zwijgend, met haar rug naar me toe. Ik durfde nauwelijks naar haar te kijken.

'Je hebt gelijk', zei ze uiteindelijk.

'Hoezo?'

'Alles wat ik doe, heb ik al gedaan. Maar bij jou is het precies omgekeerd. Alles wat jij kunt, heb je nog niet gedaan.'

Ik snapte niet wat ze bedoelde en zei niks.

Aurora Stern draaide zich naar me om.

'Ik was een vlinder.'

'Vlinder?'

'Ik was de vorstin van de lucht. Niemand kon hoger vliegen dan ik. Ik vloog in Berlijn en Parijs. Ik was de vlinder bij niemand minder dan de Ringling Brothers & Barnum in New York. Als ik de trapeze losliet, raakte ik de ster in de koepel van de tent.'

Ze praatte nu snel, niet staccato, onderbroken, maar vloeiend, alsof ze eindelijk de taal had geleerd en ze haar eigen verhaal niet wilde missen.

En toen zweeg ze plotseling.

Ik wilde opstaan.

Net zo abrupt: 'Niet weggaan.'

Ik bleef zitten.

Ze trok de zware gordijnen nog steviger dicht. De geluiden van buiten verdwenen. De duisternis binnen werd nog duidelijker.

Ze stond nog steeds met de rug naar me toe.

'Zorg je goed voor de olifant?'

'Ja.'

'De olifanten werden verzorgd door een oude Pool. Hij knipte één keer per maand hun nagels, met een tuinschaar die door de man van het licht werd geslepen. Per poot had hij drie uur nodig. We hadden vier olifanten. En als ze ziek werden, kregen ze een fles cognac. Weet je waar de olifant voor staat?'

Ze draaide zich naar me om en vouwde haar handen.

'Nee', zei ik.

'Geluk. En weet je waarom hij voor geluk staat? Dat is omdat een olifant nooit iets vergeet.'

'Worden ze daar gelukkig van?'

Aurora Stern hief haar grote handen op en verborg zich erachter.

'Nee', zei ze.

En ik vroeg, zonder goed te weten wat ik vroeg: 'Heb je hem daarom aan mij gegeven?'

Ze lachte, een kort, hoog lachje.

'Ik kon je geen geld geven.'

'Je mag hem wel terug hebben', zei ik, snel.

'Ik heb hem niet meer nodig. Hij is nu jouw talisman.'

'Talisman?'

Ze ging weer zitten, in dezelfde stoel, vlak voor me, zo dichtbij dat ik haar adem kon voelen, apotheek, parfumerie.

'In het circus heeft iedereen zijn eigen talisman. Zijn eigen amulet. De clown heeft een medaillon. De messenwerper heeft een hazenbotje. De leeuwentemmer heeft een gouden munt. Die brengen geluk. Die blijven eeuwig bestaan. Die bestaan langer dan de grote voorstelling.'

Ik keek om me heen, want het was moeilijk om haar blik te ontmoeten, en nu zag ik het, wat volgens mij alleen maar siervoorwerpen, snuisterijen en prullaria waren, waren dus talismannen, het huis stond vol talismannen, maar het geluk kon ik nergens ontdekken.

'Bedankt', zei ik.

'En nooit het stof in de richting van de ingang vegen, leg de affiches niet op je bed en ga niet met je rug naar de piste zitten. Hoor je me?'

'Wat is er eigenlijk gebeurd?' vroeg ik.

Haar stem klonk bijna verbouwereerd: 'Gebeurd? Is er iets gebeurd?'

Ik schudde mijn hoofd.

'Neem me niet kwalijk.'

'Hoe heet je?'

Ik noemde mijn naam. Aurora Stern glimlachte. Ik weet niet waarom ze glimlachte. Het was immers gewoon de naam die ik nog steeds gebruik.

De kaars op de kachel was bijna opgebrand.

Ze boog zich naar me toe.

'Laat je handen eens zien.'

Ik stak mijn handen uit en zij draaide ze om, zodat de handpalmen naar boven wezen, twee bleke halve cirkels.

Ze keek me aan, met dezelfde glimlach: 'Goh, je zweet.'

'De bloemen waren nat.'

'Je bent niet nerveus?'

'Ik ben ziek geweest. Ik heb koorts gehad.'

'Jij kunt blijkbaar nooit kiezen, hm?'

Aurora Stern hield voorzichtig mijn vingertoppen vast. Haar sterke handen waren toch licht. Ik zag de aderen over de rug van haar handen lopen. Ik deed mijn ogen dicht en vond wat ze deed prettig aanvoelen. Ik stond bruusk op.

'Ik moet gaan', zei ik.

Ze liet me los en bleef zitten. Ik pakte de balpen en de

kwitantie en liep snel naar de hal. Ik kon bijna niets zien in het donker. Het was opeens donker geworden. Ik stootte ergens tegenaan, een plank of een kast, misschien een kachel. Er viel iets op de vloer. Eindelijk vond ik de deur en ik hoorde haar stem weer: 'De volgende keer kan ik je vertellen wat er gebeurd is.'

De volgende keer.

Dat was *wacht maar*, op een andere manier gezegd. Het was een dubbele belofte.

Wacht maar tot de volgende keer.

De vorst kwam vanaf de fjord aanzetten en gleed door de straten als schaduwen van zilver.

Ik fietste zonder wanten de Niels Juels gate af naar Finsens Flora. Er was niemand in de winkel. Het was, zoals gezegd, november. Het belletje boven de deur rinkelde niet meer. De kassa roestte. Ik bleef midden in de winkel staan en keek naar mijn koude, bijna witte vingers. Toen hoorde ik merkwaardige geluiden, die hier niet thuishoorden. Ik wist dat ik meteen had moeten omkeren en had moeten maken dat ik wegkwam, zo ver mogelijk weg. Toch liep ik naar het achterkamertje en loerde naar binnen. Dat had ik niet moeten doen. Maar ik had het al gedaan. Zij, en ik kan het niet opbrengen om haar in deze context mevrouw Finsen Zelf te noemen, lag tussen de afgesneden stelen en natte kranten over de tafel gebogen en hield zich daar met haar vuile handen aan vast. Hij, en ook nu kan ik het niet opbrengen zijn juiste, volledige naam te gebruiken, stond achter haar te zwoegen. Hun lichamen waren mager en hoekig, geel bijna, ze waren beenderen die kreunden en tekeergingen. Ze leken wel honden. En hij, die ik dus niet Finsen Zelf kan noemen, ontdekte me plotseling, zijn gezicht was verwrongen en scheef. Dit was het ergste wat ik ooit gezien had. Eindelijk ging ik weg. Ik liep achterwaarts naar buiten. Ik had geen zin om hier ooit nog terug te komen. Nee, absoluut niet. Nooit zou ik hier vrijwillig terugkomen. Dat was nu over en uit. Ik fietste langs Bruns Muziekhandel om daar mijn ogen te reinigen. Die zaten vol rotzooi. De Fender Stratocaster stond in de etalage. Maar er was een snaar geknapt, de e-snaar, de laagste. Dat maakte me onrustig. Had iemand op de gitaar gespeeld en was die er roekeloos mee omgesprongen? Kon de gitaar er niet tegen om hier zo te staan, ongebruikt, in warmte en kou? Was het esdoornhout aan het kromtrekken en zou binnenkort de hele hals knappen? Aan de andere kant, misschien werd de prijs verlaagd nu de gitaar beschadigd was en kon ik een aantal dagen van mijn boekhouding aftrekken voordat hij van mij was. Maar ik had immers net ontslag genomen als bloemenbezorger bij Finsens walgelijke Flora. Ik was in de war, bang bijna. Ik had het gevoel alsof alles om me heen kapotging. Ik stond in debet in de Bygdøy allé. Ik fietste verder, de hoek van de Gabels gate om waar een vrouw op de vierde verdieping uit het raam was gesprongen, nu twee jaar geleden, en met haar hoofd op het lage hekje was geland. Er zat nog steeds een deuk in dat hek. Ik vond dat iemand het zou moeten repareren. Of misschien wilde iemand het juist zo laten, als herinnering. Toen ik thuiskwam zag ik Gundersen beneden op de binnenplaats zitten, onder de droogrekken, tussen de allerlaatste kleren die dit jaar nog buiten hingen of die iemand vergeten was van de lijn te halen. Gundersen was trouwens uitvinder. Maar hij had nog nooit iets uitgevonden. Zelf beweerde hij het tegenovergestelde, namelijk dat andere uitvinders hun uitvindingen van hem hadden gestolen. De waarheid was eerder dat Gundersen te laat kwam voor alle uitvindingen. Hij kwam te laat voor de kaasschaaf, de paperclip en het wiel. Hij zat stilletjes van voor naar achteren te wiegen, met zijn benen onder zich opgetrokken. Ik pakte de vuilnisemmer en liep ook naar beneden. Gundersen zag me en sloot zijn ogen.

'Wat je allemaal niet moet verbergen', fluisterde hij. 'Het is niet te doen.'

'Wat dan?' vroeg ik.

'Wat dan? De flessen. De dorst. De schande. Mijn gezicht. Mijn mond. Mijn handen. Vooral mijn handen. Dit kan zo niet doorgaan.'

'Nee', zei ik, vooral om maar iets te zeggen.

Gundersen stak beide handen uit, ze beefden als twee dunne spiegels.

'Ik moet me verbergen als ik dronken ben. Ik moet me verbergen als ik een kater heb. En ik moet me verbergen als ik nuchter ben.'

'Als je nuchter bent? Waarom dat?'

'Omdat ik dan al snel weer dronken zal zijn.'

'Op die manier', zei ik.

Het was niet helemaal duidelijk of Gundersen op dit moment dronken of nuchter was. Misschien bevond hij zich ergens halverwege. Waar hij zich ook bevond, het was in elk geval zo te zien geen erg prettige plek om te verkeren, integendeel zelfs.

Hij zuchtte een paar keer.

'Ik word er zo moe van. Ik word er zo ontzettend moe van.'

De kleren aan de waslijnen waren bijna bevroren, een geruit overhemd, een blauwe sok, een wit, stralend laken hing scheef aan de knijpers, alsof de aarde was gekanteld.

'Waarom drink je dan zo veel?' vroeg ik.

'Om te zorgen dat de tijd sneller gaat.'

'Gaat die sneller als je drinkt?'

'En dat begrijp ik nu juist niet, snap je. Ik ben bang voor de dood en drink om de tijd sneller te laten gaan. Kun jij dat vatten?'

'Het lijkt wel een overhoring op school', zei ik.

Gundersen hief zijn hoofd even op en het leek alsof hij nadacht, al was dat erg moeilijk te zien.

'Weet jij wie Bertolt Brecht is?' vroeg hij.

'Nee.'

'Dan moet je je schamen.'

'Weet jij wie de Beatles zijn?' vroeg ik.

'De Beatles? Is dat niet die bende die Bygdøy onveilig maakt?'

Ik lachte.

'De Beatles hebben "Do you want to know a secret" gemaakt. Dat is het mooiste liedje van de wereld.'

'En Bertolt Brecht heeft "De wielwissel" geschreven. Dat is het vreselijkste gedicht van de wereld.'

Gundersen begon te huilen, terwijl hij voorlas uit de donkerste bladzijden van zijn geheugen. Deze dag kende blijkbaar geen grenzen. Ik had het liefst de aftocht geblazen. Ik heb er altijd een hekel aan gehad, zowel hiervoor als hierna, om volwassen mensen, vooral mannen, moet ik toegeven, te zien huilen. Daarom citeer ik liever het gedicht waar Gundersen op doelde, 'De wielwissel' van Bertolt Brecht, dat in wezen veel weg heeft van Sigbjørn Obstfelders 'Ik zie', en daarom kon ik mezelf ook herkennen in de ongeduldige man in de berm, ik zag het voor me, dat hij een sigaret rookte, dat hij een grijs pak droeg en glad, strak achterovergekamd haar had, en dat het stof van de auto's die langsreden op de snelweg neerdaalde op zijn zwarte schoenen.

*Ik zit in de berm van de weg*
*de chauffeur verwisselt het wiel*
*ik ben niet graag waar ik vandaan kom*
*ik ben niet graag waar ik naartoe ga*
*waarom bekijk ik de wielwissel*
*vol ongeduld?*

Gundersen veegde zijn ogen af met een ruim bemeten zakdoek en keek me aan.

'Is dat niet vreselijk?' vroeg hij.

'Ik vind de Beatles leuker', zei ik.

'Maar weet je waar het eigenlijk over gaat? Nou, dat zal ik je vertellen. Dat je nooit een zatlap moet geloven.'

'Als jij dat zegt', zei ik alleen maar.

Gundersen schudde een hele poos zijn hoofd, met veel misbaar, en probeerde op te staan. Dat lukte voorlopig niet.

'Maar nu wordt het andere koek!' riep hij.

'O ja?'

'Ik zal me aan God en alleman vertonen. Ik heb niets meer te verbergen. Jij bent mijn getuige, jongen!'

'Als je niks meer te verbergen hebt, waarom zit je dan nu niet voor op de stoep?'

Gundersen sloeg zijn ogen weer neer.

'Ik zit hier alleen even op te drogen', zei hij. 'Ik word zo nuchter van de geur van pasgewassen wasgoed.'

Ik wilde daar graag iets op zeggen, bijvoorbeeld dat Gundersen er dan rekening mee moest houden dat hij hier waarschijnlijk zou moeten blijven zitten tot de stijfbevroren kleren aan de lijn volgend jaar maart ontdooiden. Maar op dat moment werd ik onderbroken door een enorm kabaal bij de achtertrap. Skip Tom Curling maakte zijn entree.

Hij droeg zijn glimmende, ooit onberispelijke, double-breasted blazer, tennisschoenen en een vlinderstrikje dat leek op een dode snor die naar zijn verschoten kraag was gezakt en zich daar had vastgeklampt. Tom Curling zag er, met andere woorden, precies zo uit als we van hem gewend waren. Waar we echter wel van opkeken was dat hij zijn twee gepolijste stenen meezeulde en dat hij de sprietige bezem onder zijn arm gestoken had, en als je bedenkt dat alleen de stenen al achttien kilo per stuk wogen en dat Tom Curling negentig jaar was, kun je je voorstellen dat dit een heel spektakel was.

Hij liet de stenen vallen, stak een sigaret op en wees met de bezem naar ons.

'Wat weten jullie eigenlijk van curling?'

Gundersen dook ineen onder het stijve laken.

Ik deed een stap naar voren en besefte dat ik geen blad voor de mond moest nemen.

'Niet zo veel', zei ik.

'Niet zo veel? En hoeveel is dat?'

'Niks.'

Tom Curling veegde wat met de bezem voor zijn voeten en kwam dichterbij.

'Een steen moet in beweging zijn voordat hij gegooid mag worden. En wat is een steen in beweging? Dat zal ik je vertellen. Elke steen die zich verroert is een steen in beweging. Verroeren deze stenen zich?'

'Nee', zei ik.

'En als een steen tijdens het spelen stuk gaat moet een vervangende steen op de plek worden gelegd waar het grootste stuk van de kapotte steen is blijven liggen. Is een van deze stenen kapotgegaan?'

'Nee', zei ik.

'Het is allemaal nauwkeurig en perfect gepland, van begin af aan. Snap je dat?'

'Ja', zei ik.

'En als een steen kantelt, moet hij meteen uit het spel worden genomen. Is een van deze stenen gekanteld?'

Ik keek naar Tom Curling. Ik keek naar de versleten bezem. Ik keek naar de gepolijste stenen.

'Nee, skip', zei ik.

Hij glimlachte, maar niet lang.

'Op deze stenen staat mijn naam met gouden letters geschreven. En deze stenen zullen op mijn graf staan.'

Nu werd Gundersen nog banger.

'Waar heb je het over?' fluisterde hij.

'De stenen zijn in het huis', zei Tom Curling. 'De stenen zijn eindelijk in het huis.'

En toen sleepte hij ze naar de vuilnisbakken en wist ze daar met veel moeite in te kieperen. Tot slot ging de bezem erachteraan, hij deed de deksel dicht en ging naast Gundersen zitten.

We zwegen allemaal een hele poos, ook ik.

Tom Curling keek op zijn horloge.

'Nu zal hij zo wel komen.'

Gundersen knikte.

'Ja. Nu komt hij zo.'

De koude gleed over de binnenplaats in de August aveny en liet het wasgoed aan de lijn kraken, en het laken brak doormidden. Alles bevroor. We rilden.

We konden hier vastvriezen.

Gundersen keek Tom Curling aan.

'Zullen we het tegen de Fluiter zeggen?'

'Je bedoelt Arvid Flå?'

'Ja. Arvid Flå. Voorheen bekend als de Fluiter.'

Tom Curling, die eigenlijk Thomas Bergersen jr. heette, haalde zijn schouders op.

'Hij weet waar we zijn.'

Gundersen was het met hem eens.

De vuilnisman kwam stipt om vier uur. Zoals altijd. Want de vuilnisman, met zijn leren voorschoot, zijn handschoenen en zijn zware schoenen, was altijd stipt. Wanneer de vuilnisman kwam, kon niemand over het tijdstip klagen. Hij kwam aanlopen met de lege emmer op zijn schouder, zette die neer en tilde de volle emmer op, droeg die naar de auto. Bij de hoek draaide hij zich om en lachte. Ik weet niet waarom hij lachte. Misschien lachte hij omdat de emmer zwaarder dan anders was en hij graag liet zien hoe sterk hij was.

Gundersen en Tom Curling stonden op en liepen achter hem aan. Ik heb hen nooit meer teruggezien. Er kwamen nieuwe mensen in het huis wonen. Uiteindelijk stierven wij ook en vestigden anderen zich in onze kamers. Het werd nooit meer helemaal hetzelfde.

Aurora Stern zei: 'Waar jij je tent opslaat, is het middelpunt van de wereld.'

Ik ben zo vrij om mezelf hier even te onderbreken om over een brief te vertellen die ik nog niet zo lang geleden kreeg. Die brief bracht me van mijn stuk. Zelden heeft de inhoud van een brief me zo van mijn stuk gebracht. Misschien was ik extra op mijn hoede, of vol verwachting en dat wil zeggen kwetsbaar, vanaf het moment dat ik de brief in mijn brievenbus vond, tussen rekeningen en reclame, en was ik daardoor nog gevoeliger voor de boodschap van de brief, domweg omdat brieven een genre zijn dat binnenkort ter ziele is, of, letterlijk, zijn houdbaarheidsdatum heeft overschreden: nog maar een paar jaar geleden, laten we zeggen een decennium, puilde mijn brievenbus uit van de brieven, van oud en jong, van heren en dames, uit noord en zuid, zelfs uit het buitenland kreeg ik brieven, en daarom had ik een speciale briefopener aangeschaft, een elegant papiermes, dat met een snelle keizersnede al die zwangere brieven kon verlossen. Maar nu is, zoals gezegd, de tijd van de brieven binnenkort voorbij, het geduld en de nauwkeurigheid van de brief horen, helaas, thuis in een andere epoche. Je moet aan papier en enveloppen zien te komen, je moet de naam en het adres weten van degene aan wie je de brief wilt sturen, je moet aan de rand van de envelop likken en die op een fatsoenlijke manier dichtplakken, en dan moet je postzegels kopen, het liefst in een postkantoor, waar ze de brief ook kunnen wegen, zodat de ontvanger geen strafporto riskeert, iets wat de afzender in een zeer, zeer kwaad daglicht plaatst, en ten slotte moet je, tenzij je je al in het postkantoor bevindt, een brievenbus zien te vinden, iets wat ook niet altijd even gemakkelijk is, en als je die gevonden hebt moet je zeker weten dat je je brief in de juiste gleuf stopt, de rechter- of de linker-, afhankelijk van waar je de brief naartoe wilt sturen. Met andere woorden: wie brieven schrijft heeft de tijd om spijt te krijgen, heeft de tijd om zich te bedenken, de brief is niet het genre van de opwelling, in een brief schrijf je over intense liefde of onverzoenlijke haat, want de brievenfabriek heeft een laag productietempo. En staat er niet iets vergelijkbaars te gebeuren, of is er al gebeurd, met het ritme van de fotografie? Ja, in een digitale camera kun je meteen de foto's zien die je net hebt genomen, je kunt het bij wijze van spreken op hetzelfde moment zien en daardoor is er geen tijdsverschil meer tussen de foto en het ogenblik, ze vloeien in elkaar over, als een waaier die je dichtklapt, en je hoeft geen weken, soms maanden, meer te wachten tot het rolletje ontwikkeld wordt en de negatieven op papier worden gekopieerd, zodat het motief in de tussentijd een herinnering kan worden, misschien zelfs een vage, onduidelijke herinnering, op de grens van vergetelheid, die weer tot leven gewekt wordt als de foto's eindelijk klaar zijn. Er bestaat geen tussentijd meer. Er bestaan alleen nog vertragingen. Het is net als Bertolt Brecht schrijft in 'De wielwissel', het favoriete gedicht van Gundersen zaliger. En de vertraging heeft nooit de mogelijkheden van de tussentijd in zich. Het licht in de donkere kamer is uitgedoofd. De brievenfabriek is opgedoekt. Maar ik kreeg dus laatst een brief. Ik nam hem mee naar binnen, ging aan tafel zitten en keek naar de envelop, die bruin was en een formaat had dat deed denken aan officiële post, zoals belastingen, oproepen, registraties, kortom narigheid. Maar mijn naam en adres waren met de hand geschreven, in een wat ouderwets schoonschrift, kon ik constateren. Ik wist niet waar ik mijn papiermes had gelaten, misschien had ik het weggegooid, of weggeven, dus maakte ik de envelop open door mijn wijsvinger onder de lijm te wurmen en met een snelle beweging het papier te scheuren en ik trok er een gelinieerd velletje papier uit, volgeschreven in hetzelfde handschrift als op de envelop. Ik begon onderaan. Ik kende de persoon die me de groeten deed niet. Het was een vrouwennaam, maar het lukte me niet om deze vrij normale Noorse naam met iemand in verband te brengen. Het zou wel gewoon iemand zijn die wilde vragen of wat ik schrijf waar is, zelf meegemaakt dus, met andere woorden: autobiografisch. Daarom begon ik, zonder veel animo of verwachting, bovenaan te lezen, waar *Beste* stond, gevolgd door mijn voornaam en een stevig uitroepteken. Ze deed dus alsof we de beste maatjes waren. Maar ik wilde helemaal geen maatjes zijn met haar. De grens van de intimiteit, zowel wat taal, aanspreekvormen en ander lichamelijk contact betreft, is opgeheven. We leven in de grote Schengentijd. We hebben geen paspoort meer nodig. We kunnen ons vrij van mens tot mens bewegen. Het was niet anders. Maar toen ik begon te lezen werd ik dus, zoals gezegd, van mijn stuk gebracht. Misschien zou ik een ander woord moeten gebruiken, getergd, bijvoorbeeld, want de brief maakte me niet woedend of razend, hij maakte me gewoon van streek. Hij maakte me domweg van streek. Ik zal niemand vermoeien met een woordelijke weergave van de inhoud, maar me beperken tot het volgende: deze vrouw had me onlangs op een veiling gezien en dat had haar ertoe gebracht me deze brief te sturen. Ik had namelijk herinneringen bij haar opgeroepen, ik deed haar denken aan mij, niet aan de man die daar bijna helemaal achter in de zaal zat, het merendeel van de tijd roerloos, want geen van de schilderijen of voorwerpen kon me echt bekoren, maar aan de jongen die ik ooit was, toen we op dezelfde school zaten, beweerde ze, een herfst nu bijna veertig jaar geleden. Ze schreef dat ik haar was opgevallen in de pauzes. Ze schreef iets over mijn ogen. Ze schreef dat ze zich de lange, bruine sjaal met blauwe strepen herinnerde, die mijn mond en bijna mijn halve gezicht bedekte. Ze schreef dat ik altijd met de rug naar iedereen toe stond, bij het hek achter het fonteintje. Ze schreef dat ik er zo verloren uitzag als ik daar zo stond. Dat was het woord dat ze gebruikte. Verloren. Ze schreef dat ik met de rug naar iedereen toe stond. Waarom vond ze het nodig om dit te schrijven, bijna veertig jaar later? Dacht deze vrouw dat ze de zilveren herinneringsmedaille zou krijgen? Waarom was ze destijds, veertig jaar geleden, niet naar me toe gekomen? En ik herinnerde me het omgekeerde, dat de anderen juist met de rug naar mij toe stonden. Ik stond niet met de rug naar hen toe. Wie kon zich zo vergissen? En toen vroeg ze tot slot: stond ik toen al te denken aan alles wat ik zou gaan schrijven? Jawel, deze brief maakte me toch kwaad, woedend, maar op de langzame manier, waarbij de razernij overgaat in een soort melancholie, die niet gekenmerkt wordt door berusting en weemoed, maar door vastberadenheid. Ik verfrommelde de brief, liep naar buiten en gooide hem in de vuilnisbak, ik duwde hem zo ver mogelijk naar beneden, onder melkpakken, etensresten en peuken en daar liet ik hem liggen, op zo'n moment dacht ik niet aan afvalscheiding. Maar midden in de nacht werd ik wakker en dacht ik bij mezelf: die brief is bluf. Ik had iedereen kunnen zijn. Stonden in die tijd niet de meeste leerlingen met de rug naar de anderen toe? En als ik met de rug naar haar toe gestaan had, hoe kon ze dan mijn ogen zo specifiek beschrijven? Mij hield ze niet voor de gek. En hadden de meesten ook niet een lange sjaal gedragen, die ze ogenschijnlijk nonchalant om hun nek hadden gewikkeld, met de bedoeling er zo anders uit te zien dat iedereen uiteindelijk op elkaar leek? Die sjaal! Schreef ze niet dat hij bruin met blauwe strepen was? Ik moest weer naar de vuilnisbak lopen en daar stond ik, in mijn pyjama in de kou, de koude van de februarinacht, in het schrale licht van de maan en de straatverlichting, diepte de brief op die ik had weggegooid, nam hem mee naar de keuken en las hem nog een keer. Ze schreef dat ze zich de lange, bruine sjaal met blauwe strepen herinnerde. Dat kon niet kloppen. Ik had haar ontmaskerd. De sjaal was namelijk blauw met zwarte strepen. Ik zou nooit een sjaal omgedaan hebben die bruin met blauwe strepen was. Ik lachte stilletjes. Maar al snel sloeg de twijfel toe. Hoe zat dat nu eigenlijk met die sjaal? Welke kleuren had die gehad? Het was nog steeds donker buiten. Het was net alsof de ochtend niet wilde komen, alsof de nacht zich maar niet gewonnen wilde geven, zelfs de maan was naar beneden gegleden. Zo zijn de nachten in februari. Ik kon niet langer wachten en belde mijn moeder, die deze sjaal tenslotte destijds had gebreid. Het duurde even voor ze opnam.

'Ik ben het', zei ik.

'Is er iets?'

'Nee hoor. Ik wilde je alleen iets vragen.'

Mijn moeder zuchtte.

'Je moet niet zo laat bellen.'

'Het spijt me.'

'Je maakt je vader wakker.'

'Slaapt die?'

'Natuurlijk slaapt die. Zit je in het buitenland?'

'Ik ben thuis.'

'Je klinkt alsof je in het buitenland bent.'

'Ik ga volgende week naar het buitenland, moeder. Eerst naar Moskou. En daarna meteen door naar Parijs. Naar een boekenbeurs. Ik moet een lezing houden. Het is een grote eer om daar uitgenodigd te worden.'

Mijn moeder praatte zachtjes, ze zou mijn vader wel niet weer wakker willen maken, nadat ik dat al had gedaan.

'Wat is er dan?' vroeg ze.

'Herinner je je die sjaal nog die ik een keer met Kerst van je heb gekregen?'

Ze had niet eens bedenktijd nodig. Dat zou wel komen door alle kruiswoordpuzzels die ze maakte.

'1965', zei ze.

'Ja. Zoiets.'

'Niet zoiets. Het wás in 1965. En je was er niet erg blij mee, weet ik nog.'

Nu was ik degene die zuchtte.

'Dan weet je vast ook nog wel welke kleur die sjaal had.'

'Die had meerdere kleuren.'

'Hij was blauw met zwarte strepen, nietwaar?'

'Hij was bruin met blauwe strepen', zei mijn moeder.

Ik moest even door de kamer lopen, van raam naar raam. Het begon vaag licht te worden buiten.

'Hoe weet je dat zo zeker?' vroeg ik.

'Ik heb hem zelf gebreid.'

'Maar dat is al zo lang geleden. Veertig jaar geleden.'

Mijn moeder lachte even.

'En het heeft me, God sta me bij, bijna evenveel tijd gekost om hem te breien', zei ze.

Ik ging aan de tafel zitten waar de brief lag.

'Het spijt me dat ik jullie wakker heb gemaakt', zei ik.

'We zijn nu toch wakker', zei mijn moeder.

Ik bleef zo zitten, zonder de verbinding te verbreken. Ik meende mijn vaders stem op de achtergrond te horen.

'Ik bel jullie als ik in Parijs ben', zei ik.

'Maar niet midden in de nacht, alsjeblieft.'

'Dat beloof ik.'

Moeder aarzelde, ik hoorde alleen haar adem, iets zwaarder dan normaal, en toen zei ze, en dat zei ze nooit, en ze zei het verbeten, obstinaat bijna, als een soort waarschuwing: 'Wees voorzichtig.'

Ik legde de telefoon neer en verscheurde de brief.

Er is altijd iemand die je ziet, een blik die je niet loslaat, die je ziet als je op een schoolplein in de regen met je gezicht tegen het hek leunt, die je ziet als je je omdraait en wegloopt en die je ziet als je valt.

Aurora Stern zei ook: 'Nooit met je rug naar de piste zitten.'

Vergeet dat niet.

Maar om te herinneren moet je leren vergeten. Dat is de kunst. De kunst van het herinneren is te leren wat je moet vergeten.

Ik herinner me dit:

Er stond een olifant voor me. Hij was zwart en glad. Zijn slagtanden waren wit. Het was de olifant die ik als fooi van Aurora Stern had gekregen. Hij wierp een duidelijke schaduw in het licht van de leeslamp. En ik bedacht dat bloemen geen talismannen zijn. Bloemen zijn geen dingen. Bloemen zijn vluchtig. Bloemen verwelken. Ze zijn niet concreet. Ze zijn een ogenblik lang mooi, als je er snel genoeg bij bent om ze te zien. En als je niet snel genoeg bent, zijn ze toch even mooi. Je weet het alleen niet. Daar dacht ik aan. En daar denk ik op dit moment aan. Het is een dubbele gedachte: ik denk aan wat ik dacht, toen ik voorzichtig een olifant optilde. Bloemen zijn geen talismannen. Bloemen zijn geen dingen. Bloemen verdwijnen, net als wij. Maar talismannen zijn blijvend. Talismannen zijn het tegenovergestelde van versiering. Toen riep mijn moeder me. Ik bleef zitten. Daarna riep mijn vader me. Ze zaten in de woonkamer de kleurenfoto's van de zomervakantie te bekijken. Konden ze me niet gewoon met rust laten? Konden ze me niet gewoon mijn eigen beelden laten hebben? Was dat zo moeilijk? Was dat te veel gevraagd? Was het te veel gevraagd dat ik met rust gelaten wilde worden met mijn eigen beelden, mijn eigen foto's, die langzaam maar zeker in mij ontwikkeld werden en waarover ik niet kon praten, omdat ik nog niet wist waar ze op leken? Was dat te veel gevraagd? Toen riepen ze me allebei. Ik stopte de olifant terug in de kluis voor fooien en andere onvoorspelbare inkomsten, waar nu al precies 90 kronen in zaten, en ging, beleefd als ik ben, naar hen toe.

De foto's van de zomer lagen over de tafel uitgespreid.

De woonkamer was een vertraagde kalender.

Ik bleef op de drempel staan. Ik had ver genoeg gelopen. Verder wilde ik niet gaan. Dat kon niemand, zelfs mijn ouders niet, van me vragen.

Mijn moeder had de foto's ontwikkeld en mijn vader prees ze.

Hij hield er eentje omhoog.

'Kijk eens. Hier staan jij en Edgar op de duikplank.'

'En wat dan nog', zei ik.

Moeder keek me even snel aan.

'Was het trouwens leuk bij Edgar?' vroeg ze.

Het duurde zo lang voordat ik antwoord gaf dat mijn moeder het antwoord al wist, dus had het eigenlijk helemaal geen zin om te antwoorden.

'Edgar heeft een glazen oog', zei ik.

Mijn moeder stond paf.

'Een glazen oog?'

'Ja. Zijn rechter. Hij kan het uitdoen en onder de kraan afspoelen.'

Mijn moeder keek nog eens naar de foto van Edgar en mij, terwijl mijn vader verder bladerde in het stapeltje en nog een kiekje vond waarmee hij me lastig kon vallen.

'En kijk deze eens. Die heb jij van ons genomen, in de tuin.'

Ik kon de foto vanaf hier, vanaf de drempel, zien. Vader en moeder stonden onder de appelboom in de tuin op Nesodden. Ik herinner me dat mijn handen trilden toen ik de camera vasthield. Ik stond in de zuiging van de fjord. Ik sta nog steeds in die zuiging, een stroom van drijfhout, wrakgoed en kwallen. Mijn moeders schouders waren verbrand. Ik had haar nog nooit in zulke kleuren gezien. De helft van mijn vaders gezicht was bleek, vanwege de pet die hij droeg. Zijn horloge wees twaalf minuten over vijf aan, dinsdag 12 juli. En dat precieze tijdstip, dat uit de tijd was gerukt en hier was opgeslagen, deed me opeens denken aan de vuilnisman die alles wat over was ophaalde, en dat maakte me zo duizelig dat ik me aan de deurpost moest vastklampen om niet nog dieper te vallen.

'Wat is er met jou aan de hand?' vroeg mijn vader.

'Met mij? Is er iets met mij?'

'Je bent zo anders dan anders.'

Ik werd kwaad. Ik werd confuus en kwaad als mijn vader zo praatte.

'Anders? Hoezo dan anders?'

'Nou, je doet de laatste tijd gewoon een beetje raar, vind ik.'

Ik balde mijn vuisten en schreeuwde bijna: 'Raar?'

Nu keek mijn moeder ook op, verbaasd, glimlachend.

'Wat zei je?' vroeg ze.

'Wat ik zei? Zijn jullie opeens doof of zo?'

Vader legde de foto's neer en keek me aan.

'Zeg het dan', zei hij.

'Wat?'

'Raar.'

Ik moest zorgen dat dit ophield. Het was niet meer te harden.

'Raar', zei ik.

Mijn vader en moeder klapten in hun handen, stonden allebei op en staken hun armen uit, alsof ik aan de andere kant van de planeet vermist was geweest en eindelijk was teruggevonden.

'Je kunt de r zeggen!' riep mijn moeder.

Mijn vader legde zijn hand op mijn schouder.

'Zeg het asjeblieft nog een keer', zei hij.

'Raar', zei ik.

Vader glimlachte van oor tot oor.

'Je kunt verdikkeme een r zeggen die pijn doet aan je oren!'

Het scheelde niet veel of mijn vader omhelsde me en ik besefte opeens dat hij mijn spraakgebrek erg vervelend had gevonden, dat hij het als een schande had beschouwd een zoon te hebben die niet goed kon praten en dat was onge-twijfeld de reden dat hij zich altijd zo afwijzend gedroeg als ik langskwam bij de bank en hij me meetrok naar plekken waar niemand mijn misvormde, bespottelijke r kon horen, hij had zich domweg geschaamd voor mij, en waarschijnlijk voor zichzelf. En om ons te verlossen uit deze pijnlijke en tamelijk delicate situatie, voordat mijn vader de kans krijgt me te omhelzen omdat ik de r kan zeggen, moet ik alweer naar Jim Morrison grijpen, de zanger en dichter van The Doors, ook al valt dit buiten het tijdskader van dit verhaal, namelijk de herfst van 1965, toen nog niemand van deze grensverleggende, onmogelijke Amerikaanse band had ge-hoord. Maar alle verhalen zijn lek. Geen enkel verhaal is waterdicht. Het verhaal is een zeef waar de seconden door-heen stromen. En eerst moet ik terug in de tijd, nader be-

paald acht jaar, naar de dag dat ik voor het eerst naar school
ging, ik had een nieuwe schooltas, een nieuwe broek, een
nieuw peau-de-pêchejasje, een nieuw kapsel, nieuwe schoenen, ik was van top tot teen nieuw, net als alle andere leerlingen, we hadden een bijzonder licht in ons, we straalden
om het hardst op het schoolplein. Ik hield mijn moeders
hand vast. Iedereen had een moederhand om zich aan vast
te houden. Eindelijk was het mijn beurt om de klassejuf te
begroeten, de beminnelijke juf Kristensen uit Svolvær. Ik
maakte zo'n diepe buiging dat mijn voorhoofd het asfalt
schampte. Toen werd ik verblind door een felle bliksemflits.
Maar het begon niet te regenen en het donderde ook niet.
Het was een flitslicht. Een fotograaf had een foto van mij
gemaakt. Daar dacht ik verder niet meer aan tot de herfst
van 1967, dus twee jaar nadat dit verhaal zich feitelijk af-
speelt, als ik het zo kan zeggen, ik was geen bloemenbezorger meer en was eindelijk op het gymnasium begonnen, de
Franse stroom, omdat ik dacht dat mijn Franse uitspraak
perfect zou zijn als ik gewoon mijn oude, gebrekkige r gebruikte, mijn lokale spraakgebrek, dat ik in bepaalde gevallen nog steeds beheerste, maar toen toch niet, ik heb nooit
meer dan een zes min gehaald voor mijn Franse mondeling,
misschien omdat ik de enige jongen was in een klas met
uitsluitend taalvaardige meisjes, en op deze dag, in de herfst
van 1967, waar ik zowel met liefde als met tegenzin over wil
vertellen, liep ik de Glitnebakke op, waar de vertrouwde
neonreclame voor een verzekeringsmaatschappij boven de
klok op de hoek brandde, DE TIJD VERGAAT, GJENSIDIGE
BESTAAT, ik droeg een duffel, een alpinopet en de lange sjaal
die mijn moeder voor me had gebreid en ten slotte, maar

niet in de laatste plaats, droeg ik de nieuwe lp van The Doors onder mijn arm, *Strange Days*, die had ik gekocht voor het geld dat ik had gekregen toen ik de olifant van Aurora Stern verkocht, in de tweedehandswinkel in de Skippergate in het centrum, en ik moet toegeven dat ik dat niet met een licht gemoed deed, de olifant verkopen die Aurora Stern me ooit als fooi had gegeven, nee, het was met een bezwaard gemoed, met een bezwaard gemoed en open ogen, en ik heb daar soms nog steeds gewetenswroeging over, het knaagt aan me, ook al was hij maar 60 kronen waard en bleek hij gewoon van steen te zijn en niet van ivoor, en ik heb sindsdien erg veel moeite gedaan om hem op te sporen, tevergeefs, uiteraard, maar ik moest een keuze maken, de olifant of The Doors, The Doors of de olifant, ik koos The Doors en ik weet zeker dat Aurora Stern dat zou hebben begrepen, een lp was waarschijnlijk ook een soort talisman, een muzikale talisman, en nu was ik dus op weg naar huis om die plaat, *Strange Days*, zo snel mogelijk te draaien, ik kon bijna niet wachten, het was, zoals gezegd, herfst 1967, en toen ik bij de Solli plass kwam zag ik hem, de foto die op mijn eerste schooldag was genomen, tien jaar geleden, minstens honderdvijfenveertig keer vergroot en achter glas opgehangen op de gevel van de bank aan de Solli plass, waar mijn vader werkte, en onder het logo van de bank stond deze hopeloze slagzin: INVESTEER VEILIG IN DE TOEKOMST. Ik was dus de toekomst. De tijd had in mij geïnvesteerd. Ik was een spaarpot waarin de tijd zijn minuten en maanden had laten vallen. Maar ik voelde me niet als de toekomst. Ik voelde me niet eens als het verleden. Ik voelde me enkel en alleen als verspilde tijd. Ik was verspilde tijd. En ik hing niet alleen hier, op de Solli plass. Ik hing op elk bankgebouw in de hele stad. Waar ik me ook wendde of keerde, er was geen ontkomen aan deze afzichtelijke foto, waarop ik, als het beleefdste jongetje van de klas, zo'n diepe buiging maak dat mijn voorhoofd bijna over het bobbelige asfalt van het schoolplein schraapt. Het zal niet nodig zijn te onderstrepen dat dit uiterst pijnlijk was, ja, ondraaglijk bijna, om zo overal voor gek te hangen, het was alsof ik me in een griezelkabinet bevond waarin ik het monster was, daarom bleef ik thuis, meed de school en de giechelmeisjes in de Franse stroom tot de foto's eindelijk werden weggehaald, verwijderd, vervangen door nieuwe, nog schreeuwerigere affiches en ik voor eens en voor altijd verleden tijd was en dat was maar goed ook. Mijn vader bezwoer dat hij hier helemaal niets mee te maken had, integendeel zelfs, als hij hier iets mee te maken had gehad, zou hij waarschijnlijk zijn voet dwars hebben gezet, omdat hij zijn eigen zoon natuurlijk niet kon voortrekken – alsof het een beloning was om belachelijk gemaakt te worden – nee, dan zou hij me eerder hebben achtergesteld, zo zei hij het, achtergesteld, en ik zou dolgraag gewild hebben dat iemand mij had achtergesteld. We hadden een gespannen verhouding, mijn vader en ik, in deze ongelukzalige periode. Maar er was iets anders wat me nog veel meer dwarszat, namelijk dat ik de jongen op de foto niet herkende. Ik wist dat ik het was, ik was het, op mijn eerste schooldag, maar ik herkende mezelf niet. Ik herkende mijn moeder. Ik herkende de vriendelijke juf Kristensen. Maar ik herkende mezelf niet. Ik had iedereen kunnen zijn. Ik was een vreemde. En dat was het moment waarop ik troost vond, of zal ik zeggen, een soort verzoening, bij Jim Morrison, die zong: *strange days have found us, and through their strange hours we linger alone, bodies confused, memories misused, as we run from the day to a strange night of stone.* Ik was, met andere woorden, niet alleen, Morrison zong voor mij, hij bracht de sprakeloze afgrond in mij onder woorden, en *Strange Days* deed me dus denken aan Obstfelders gedicht, 'Ik zie', ik was op een verkeerde planeet beland, we waren met velen op een verkeerde planeet beland, elk afzonderlijk. Ik was gevangen tussen de regels van Morrison en Obstfelder, waar niemand me kon aanraken. Jim Morrison overleed trouwens in Parijs, slechts vier jaar later, in de zomer van 1971, onder uiterst onduidelijke omstandigheden, was het zelfmoord, was het een liquidatie – ja, er zijn zelfs mensen die dat beweren – of was het gewoon een banale overdosis whisky en heroïne, de ontbijtmix – of het veel te late avondgebed – van pathetische sterren, niemand weet het zeker, en Jim Morrison wist ook niet dat er honderd jaar eerder al een medicijn naar hem vernoemd was, namelijk Morrisons pillen, bevorderlijk voor zowel de gal als de stoelgang, maar hoe dan ook, de laatste nacht van zijn leven nam hij zijn intrek in het beroemde l'Hotel, in de rue des Beaux Arts, waar ook Oscar Wilde tot zijn dood in 1900 woonde nadat hij uit de gevangenis was ontslagen en Engeland voorgoed had verlaten, en deze mannen hadden meer gemeen dan de literatuur en dat wat je een extreme, of excentrieke levensstijl kunt noemen, ze waren allebei aangeklaagd wegens onzedelijk gedrag, Wilde vanwege zijn homofilie en Morrison vanwege exhibitionisme tijdens een concert in Miami het jaar daarvoor; Wilde, de cynische estheet, had, zoals gezegd, zijn straf uitgezeten, Morrison kon de gedachte aan de gevangenis niet verdragen en had daarom als het ware asiel gezocht in Frankrijk, en misschien koos hij er vanwege die lotsverbondenheid voor om zijn laatste doorwaakte nacht door te brengen in l'Hotel, en nu, tijdens mijn ongelukzalige bezoek aan deze boekenbeurs hier in Parijs, waar ik dus ben uitgenodigd om iets hopelijk zinnigs te zeggen over de Noorse roman en over waarom ik überhaupt schrijf, logeer ik ook in dit kleine hotel vol herinneringen, en deze lijnen, deze sporen die elkaar kruisen, ervaringen, plekken en personen, bevredigen iets van mijn verlangen naar orde, en om eindelijk een einde te maken aan dit zijspoor, dat paradoxaal genoeg dit romantische verhaal weer op het juiste spoor zal brengen, moet ik de opname noemen die ik een paar jaar geleden in handen kreeg, hoe precies, daar zal ik verder niet op ingaan, ik zal alleen aanstippen dat de piccolo van l'Hotel er een zekere rol in speelde, maar het is een opname die Jim Morrison de dag voor zijn dood maakte, met andere woorden, de dag dat hij incheckte in l'Hotel, de opname duurt veertig minuten, zijn stem klinkt zowel vermoeid als intens en is tegelijkertijd schokkend in al zijn rust, nu we weten hoe het afliep, het is een stem van gene zijde. Hij leest een paar dichtregels voor, sommige ervan bekend, zoals het poëtische litteken dat hij als kind al opliep, *indians scattered on dawn's highway bleeding*, hij onderbreekt zichzelf voortdurend, er vallen lange pauzes, ik neem aan dat hij ondertussen drinkt, want je kunt vaag horen dat hij een fles neerzet, whisky waarschijnlijk. Ook andere regels komen steeds weer terug, *awakened at dayfall by a worried gardener/ enter again the sweet forest/ everything is broken up and dances.* Maar plotseling, zonder waarschuwing, begint Jim Morrison, 27 jaar, te zingen, op deze obscure opname, de dag voordat hij dood wordt aangetroffen in de badkuip:

*I am a deathbird*
*A naughty nightbird*

Dan is het alsof hij al zijn krachten verzamelt en hij barst klagend uit in zijn laatste refrein, alsof hij al weet hoe het afloopt, dat het onvermijdelijk is, maar hij desondanks hoop probeert te ontwaren:

*Am I going to die*
*Am I going to die*

Het is de klaagzang die we te allen tijde in alle talen zingen.

En de laatste woorden die nog net te horen zijn op de opname, als een angstige stem tegen het einde van een wild feest, zijn deze: *He didn't tape that?* De dood is de enige ervaring die we niet kunnen delen.

En daarmee keer ik terug naar de sporen van de bloemenbezorger, november 1965:

De volgende dag, na schooltijd, en ik heb dus geen zin om meer over die school, de middelbare school, te zeggen dan dat ik het er nog net zo vreselijk vond als vroeger en ik deed alsof ik nog steeds de r niet kon zeggen, anders zou dat veel opschudding hebben veroorzaakt en aan opschudding heb ik een hekel, dus ik bleef mijn broddel-r gebruiken als ik werd overhoord en Putte spuugde nog steeds op de deurklink van het klaslokaal, hij spuugde overal, in lunchpakketjes, rugzakken en schoenen, in het fonteintje, in etuis en inktpotjes, maar wat ik wilde vertellen was dat ik de volgende dag na schooltijd straal langs Finsens Flora fietste, zodat dat volkomen duidelijk is, een zekere trots had ik nog, want ik zou daar nooit meer een voet binnen zetten, maar ik stopte toen ik bij de Bygdøy allé kwam, dacht nog een keer goed na, dat wil zeggen, ik dacht aan de elektrische gitaar, de fiëstarode Fender, nu opgeven zou zonde zijn en daarom keerde ik om, fietste terug naar Finsens Flora en liep net als vroeger onder het rinkelende belletje door naar binnen.

Finsen Zelf bladerde in de lege vakjes van de kassa.

'Daar ben je dan', zei hij.

Wat moest ik daar op zeggen?

'Ja', zei ik.

Mevrouw Finsen Zelf sneed bloemen in het achterkamertje en ze stond gelukkig met de rug naar me toe, ik denk niet dat ik haar in de ogen had kunnen kijken nu ik haar uitgespreid op de tafel had zien liggen.

Finsen Zelf duwde de kassa dicht en ging in de hoek bij de cactussen staan, waar mevrouw Finsen Zelf ons niet kon zien.

'Kom hier', zei hij.

'Waar?'

'Waar? Hier, natuurlijk.'

Ik liep heel langzaam naar hem toe en bleef staan.

'Er is iets waar ik het met je over wil hebben', zei Finsen Zelf.

'Met mij over hebben?'

Dit was erg onaangenaam. Ik zou kunnen zeggen dat ik helemaal niks had gezien. Dat kon heel goed. Alleen ík wist wat ik had gezien. Niemand anders kon dat weten. Ik bepaalde wat ik gezien had. Het waren mijn ogen. Ik had niks gezien.

'Ja. Met jou over hebben.'

Finsen Zelf dempte zijn stem.

Ik probeerde me voor te stellen wat hij zou gaan zeggen. Dat ik het tegen niemand moest vertellen. Dat het een misverstand was. Dat ik niet gezien had wat ik dacht te hebben gezien. Dat het alleen maar zo leek. Dat ik ontslagen was.

'Weet je nog dat je een boeketje in de Eckerbergs gate moest bezorgen?' vroeg hij.

Ik dacht eerst dat ik het verkeerd verstaan had. Maar ik had het goed verstaan. Ik kromp ineen. Ik was niet meer vrijgesproken, maar dacht desondanks nog steeds ermee weg te kunnen komen.

Ik zei: 'De Eckerbergs gate? Ik heb zo veel boeketten bezorgd in de Eckerbergs gate.'

'Eckerbergs gate nummer 9. Halvorsen.'

'Ja, ik geloof bijna dat ik me dat herinner', zei ik.

Finsen Zelf aaide een paar keer met zijn hand over de cactus.

'En wat herinner je je dan bijna?'

'Dat Halvorsen niet thuis was.'

'O, niet thuis dus? En wat heb je toen gedaan? Met de bloemen die hij voor zijn lieve echtgenote had besteld?'

'Ik heb ze bij de buren afgegeven. Zoals jij me hebt gevraagd.'

'Je hebt ze bij de buren afgegeven?'

'Ze heet Quisling, trouwens.'

'Quisling? Je hebt Halvorsens bloemen bij Quisling afgegeven?'

'Ja. Maria Quisling.'

Nu haalde Finsen Zelf een strookje uit zijn jas, streek het glad en hield het voor mijn neus. Het was het strookje met Halvorsens handtekening, geschreven door niemand anders dan mijzelf.

'Staat er Quisling op dit strookje?'

Ik schudde mijn hoofd.

'Nee', zei ik.

'Kun je me dan vertellen wat er wel staat? Lees maar hardop voor. Ik ben gisteren namelijk gestopt met roken en zie erg slecht.'

'Halvorsen', fluisterde ik.

'Harder. Ik hoor ook slecht.'

'Halvorsen.'

'En hoe kan het dan dat er Halvorsen op dit strookje staat, als Halvorsen niet thuis was en je de bloemen bij Quisling hebt afgegeven?'

Ik had niets meer te verliezen.

'Dat zou je bijna Halvorsen zelf moeten vragen', zei ik.

Finsen Zelf kwam een stap dichterbij. Het kon best zijn dat hij inderdaad gestopt was met roken. Oog in oog met hem staan was niet meer alsof je een diepe trek van een sigaret nam. Misschien waren ze daarom gisteren zo bezig geweest. Maar dat maakte het nog niet prettiger. Ik had liever die trek gehad. Ik dacht heel even dat hij het valse strookje domweg op mijn voorhoofd vast zou nieten.

'En laat ik dat nou net gedaan hebben, het Halvorsen vragen! Want Halvorsen kwam vanochtend langs. Weet je wat hij zei? Nee, dat kun je helemaal niet weten. Maar ik zal het je vertellen. Ik wil graag de bloemen voor Halvorsen in de Eckerbergs gate 9 afbestellen, zei hij. Mijn beste man, zei ik, die heeft onze trouwe bloemenbezorger allang afgeleverd. Toen trok Halvorsen een lang gezicht, dat snap je. Wij hebben geen bloemen gekregen, zei hij. Dus moest ik het strookje in mijn kaartsysteem opzoeken en dat liet ik hem zien. Dat is mijn handtekening niet, zei hij. En ook niet die van mijn vrouw. En wie denk je dat er toen een lang gezicht trok? Ík trok een lang gezicht. En ik trek niet graag lange gezichten. Ik ben gestopt met roken. Ik ben bang om dood te gaan. Wat kon ik zeggen? Dit moet een betreurenswaardig misverstand zijn, zei ik. Een bijzonder betreurenswaardig misverstand. U krijgt meteen uw geld terug, en ook nieuwe bloemen, als u wilt. Maar deze Halvorsen wilde geen geld terug, en ook geen nieuwe bloemen. Integendeel. Hij bedankte me. Hij was volkomen tevreden met de situatie. Dat de bloemen niet bij zijn vrouw waren afgeleverd. Sta ik hier nog steeds met een lang gezicht?'

'Ja', zei ik.

'Weet je waarom ik hier nog steeds met een lang gezicht sta?'

Ik sloeg mijn ogen neer.

'Ik geloof bijna van wel.'

'Kun je dan zo vriendelijk zijn me te vertellen wat er gebeurd is met het boeket voor Halvorsen in de Eckerbergs gate 9?'

Waar moest ik beginnen? Ik kon overal beginnen. Ik kreeg zin om de cactus in de hoek te krauwen, maar hield me in.

'Halvorsen was niet thuis', zei ik.

Finsen Zelf begon zijn geduld te verliezen.

'Dat had ik ook al begrepen! Ik verzoek je om zo snel mogelijk ter zake te komen! Is dat ook begrepen?'

Ik knikte.

'Maar Maria Quisling, die in dezelfde portiek woont, alleen een verdieping lager, was wel thuis. Dat is trouwens de weduwe van Vidkun Quisling, die in oktober 1945 in de Akershusvesting is geëxecuteerd.'

Nu bestond het gevaar dat Finsen Zelf weer met roken zou beginnen.

Hij onderbrak me dreigend.

'Ik waarschuw je nog één keer! Wat is er met die rotbloemen gebeurd?'

'Maria Quisling wilde ze niet aannemen.'

Finsen Zelf schreeuwde: 'Ik heb schijt aan die hele familie Quisling!'

Deze keer onderbrak hij zichzelf, terwijl hij angstig naar het achterkamertje loerde.

'Ik ben het boeket verloren in de Frognervei en toen reed de tram er zomaar overheen', zei ik.

'Kijk eens aan. De tram in de Frognervei. Maar dan rest ons nog maar één klein detail om ervoor te zorgen dat ik geen lang gezicht meer hoef te trekken. Halvorsens handtekening. Ik wil het graag van je horen.'

Ik sloeg mijn ogen neer.

'Die is van mij.'

Finsen Zelf zuchtte.

'Dat was een lange omweg naar de waarheid.'

'Ja, het duurde even.'

'Alsof je via de Rådhusplass fietst om in de Fritzners gate te komen.'

Ik schudde mijn hoofd.

'Kijk me aan', zei Finsen Zelf.

Het hield maar niet op. Ik moest hier eeuwig blijven staan, tussen de kassa en de cactussen. Dit was mijn straf. Ik keek hem aan.

We hoorden dat mevrouw Finsen Zelf in het achterkamertje het mes op tafel legde.

Finsen Zelf trok me zo mogelijk nog dichter naar zich toe. Nu vreesde ik eigenlijk pas het ergste. Dit was slechts de stilte voor de storm.

'Dan staan we in zekere zin quitte', zei hij.

Finsen Zelf hield het strookje met mijn valse handteke-ning weer omhoog, verfrommelde het vlak voor mijn neus en gooide het in de prullenmand. Ik begreep, misschien wel voor het eerst, dat de wereld zo in evenwicht bleef, zo leunden de mensen op elkaar, om niet te vallen; ik wist iets van hem, hij wist iets van mij.

Daar kon ik wel mee leven.

'Quitte', zei ik.

Toen kwam mevrouw Finsen Zelf uit het achterkamertje, met een pakketje in haar handen, ze bleef staan en keek ons glimlachend aan.

'Wat spoken jullie daar uit?' vroeg ze.

Finsen Zelf schraapte zijn keel.

'We staan gewoon wat te praten, over dat ik met roken

ben gestopt en dat onze bloemenbezorger blijkbaar de r heeft leren zeggen.'

Mevrouw Finsen zelf lachte. Deze Belgische koningin lachte. Het was, geloof ik, de eerste keer dat ik haar hoorde lachen. Ze kneep Finsen Zelf in zijn arm.

'Ik hoop dat je snel weer begint. Want nu ben je niet te harden in huis.'

Finsen Zelf bloosde en werd onrustig.

'Ach, klets niet.'

Ze lachte nog harder en draaide zich om naar mij.

'Laat eens horen.'

'R', zei ik.

'Dat klinkt echt prima. En hier heb je het enige boeket van vandaag.'

Ik dacht even, of hoopte is eigenlijk correcter, ik dacht niet, ik hoopte dat het voor Aurora Stern zou zijn. Dat was niet zo.

'Primula's voor de Eilert Sundts gate', zei mevrouw Finsen Zelf.

Eindelijk gaf ze me het pakketje, hoofdschuddend.

'Hoe haal je het in je hoofd, primula's bestellen in november.'

Jullie zijn zelf primula's in november, dacht ik, ik liep naar mijn fiets en stampte de uitermate zware Bondebakke op, waar al velen voor mij in het stof hebben moeten bijten, omdat die zo steil is en bestraat met onregelmatige, hoekige kinderkopjes, waardoor de lol die het geeft om van diezelfde Bondebakke af te rijden, ook gepaard gaat met grote gevaren: een jongen uit Bolteløkka verloor vorig jaar de controle over zijn Diamantsportfiets en stak in paniek zijn rechtersandaal in het voorwiel, vier van zijn tenen werden geschild en hij was veertien tanden en een neus kwijt toen hij onder aan de Bondebakke landde, de Bondebakke waar de Eilert Sundts gate dus aan ontspringt en die straat is, zoals men begrijpt, vernoemd naar de dominee en socioloog Eilert Sundt, die in de jaren 1855–1869 de baanbrekende trilogie over *De Sterfte*, *De Zedelijkheid* en *De Zindelijkheid in Noorwegen* schreef. Hij bracht, met andere woorden, de Noorse moraal van noord tot zuid in kaart, maar ik heb me vaak afgevraagd of de volgorde waarin deze documentaire romans uitkwamen niet onduidelijk is. Had hij niet moeten beginnen met de *Zindelijkheid*, verder moeten gaan met de *Zedelijkheid* en het geheel uiteraard moeten afsluiten met de *Sterfte*? Dat had ik logisch gevonden. We wassen ons. We bedrijven ontucht. We sterven. Eventueel zou de *Zedelijkheid* eerst kunnen komen, dat geef ik toe. We bedrijven ontucht. We wassen ons. We gaan dood. Ik moest naar de Eilert Sundts gate 19, een deftig bakstenen gebouw van drie verdiepingen. Het was een puur routineklusje. Ik gaf het strookje aan een dienstmeisje met een witte schort en gele handschoenen. Ze verdween weer, ik hoorde stemmen, toen kwam ze terug met handtekening, datum, tijdstip en 75 øre fooi. De primula's waren van hen. Het was, zoals gezegd, een puur routineklusje. Ik had dit pakketje kunnen afleveren met een blinddoek voor mijn ogen, mijn armen in een mitella en mijn handen op de rug. Dit pakketje was het tegenovergestelde van een blindganger. Dit was wat wij bloemenbezorgers een softijsje noemen: rechtstreeks naar het adres, er is iemand thuis en meer dan 50 øre fooi. Ik gleed langs de trapleuning naar beneden en stopte bij de Man op de Trap, de beroemde kiosk op de hoek van de Briskebyvei en de Bondebakke, en liep naar binnen. Ik vond dat ik wel wat lekkers verdiend had. Het rook er naar tabak, drop en leer. Het rook er zwaar, bedwelmend bijna, naar teer, drukinkt en papier. De nieuwe weekbladen hingen aan knijpertjes aan slappe koorden, *Allers, Norsk Ukeblad, Kvinner og Klær, Hjemmet, Aktuell.* Op de voorpagina van *Aktuell* viel me de foto van de Zweedse actrice Gunnel Lindblom op, die in Oslo was om Ylajali te spelen in de verfilming van Knut Hamsuns *Honger.* En als ik beter had gekeken had ik misschien mezelf kunnen zien, want de foto was namelijk genomen toen ze in Skillebekk filmden, op een nacht niet al te lang geleden, en achter Gunnel Lindblom, langs de broze rand van het schijnwerperlicht, wachtte een rij onrustige, ongeduldige schaduwen tot ze naar voren mochten komen, zouden worden gezien. Dat waren mijn mensen. Ik kocht voor 50 øre kandijsuiker, maar toen ik weg wilde lopen stond Putte op de trap van de Man op de Trap.

'Geef mij ook wat', zei hij.

Putte pakte meteen het grootste stuk en vergruizelde de kandij tussen zijn tanden en ik dacht met afschuw aan al het spuug dat zich nu van alle kanten in zijn grote mond verzamelde.

'Ik heb nogal haast', zei ik.

Putte kwam een stap dichterbij.

'Leen me wat geld.'

Ik gaf hem 25 øre.

Hij keek naar het muntje.

'Meer heb ik niet', zei ik.

'Pas ondertussen op mijn brommer', zei Putte.

Putte liep de winkel in. Ik ging op de trap van de Man op de Trap zitten en paste op zijn brommer. Die stond vlak voor de deur. De helm lag op de stoeprand, naast het voorwiel. Het was zo'n helm met een glazen vizier, of een soort trechter, om niet alleen je hoofd maar ook je gezicht te beschermen en met een leren riem om hem onder je kin vast te maken. Putte had een smalle, groene sticker met snelheidsstrepen op de helm geplakt: Rally Monte Carlo. Er kwam iemand aanlopen vanuit de Bondebakke. Het was een oude dame met een hond. De vrouw was zo oud dat ze twee stokken gebruikte. Daarom was de hond niet aange-lijnd. Het was een poedel. Hij holde kris kras voor haar uit. Ze liepen langs me heen. Na een poosje kwam de poedel terug. Hij bleef bij de brommer staan en snuffelde wat in de goot. Zijn staartje stond recht omhoog. De poedel snuf-felde aan de helm. Hij snuffelde aan de helm. Hij snuffelde heel lang aan de helm. Ja, dacht ik, ja. Toen tilde de poedel een achterpoot op, hij kwam met moeite hoog genoeg, en pieste in Puttes helm.

De oude dame floot en de poedel schoot haar kant op, richting Uranienborg.

Ik had eigenlijk allang moeten maken dat ik wegkwam, maar dit wilde ik zien.

Putte kwam de Man op de Trap uit met het nieuwste nummer van *Allers*, een vrouwenblad nota bene, opgerold en met een elastiekje eromheen.

'Zit je hier nou nog?'

Ik stond op.

'Je zei dat toch ik op je brommer moest passen.'

'Denk je soms dat je je geld terugkrijgt of zo, stomme jood?'

Putte kon bijna niet praten, zo veel speeksel had hij verzameld.

'Nee', zei ik.

Putte maakte het tijdschrift vast op zijn bagagedrager en streek zijn haren twee keer achterover.

'Waarom sta je zo te koekeloeren?' vroeg hij.

'Doe ik niet.'

Putte ging op de brommer zitten en legde de helm op zijn schoot.

'Waarom sta je zo te koekeloeren?' herhaalde hij.

'Doe ik niet', zei ik weer.

Putte tilde de helm met beide handen op, aarzelde, en keek me aan.

Misschien kreeg ik op dat moment mijn dubbele hartslag, mijn onregelmatige metronoom, die het ritme van alle liedjes in één keer slaat.

'Had jij geen haast, kleine krent?' vroeg hij.

'Nu niet meer.'

Toen trok Putte de strakke helm over zijn hoofd.

Ik zag nog net zijn lege en toch verbijsterde blik toen de poedelpis langs de binnenkant van het vizier stroomde, zich als een geel masker over zijn gezicht vlijde en in zijn mond liep. Putte probeerde de helm af te rukken, maar die zat vast. Putte riep iets, het was bijna niet te horen, toen spuugde hij door de trechter en viel om in de goot van de Eilert Sundts gate.

Nu is er wel genoeg over Putte gezegd.

Hij overleed trouwens vier jaar later, toen hij van een ladder kukelde op het ms. Cuyahoga, ergens op de Noordzee, op weg naar huis, naar Noorwegen, Oslo, vanuit Marina de Carrara, via Barcelona. Zo ver zou hij dus nooit komen. Sommigen zeggen dat hij dronken was. Sommigen zeggen dat iemand hem een duwtje gaf. Sommigen zeggen zoveel. Hij was in elk geval op slag dood. Er was niks meer aan te doen. Het was een ongeluk. Ongelukken gebeuren. Dat is het wezen van het ongeluk. Putte lag de rest van de reis in de vriescel en was niet meer stoer en zeeziek. Maar aan boord van het ms. Cuyahoga was ook de nu bijna vergeten, of zal ik zeggen gepasseerde, schilder PW. Hij en Putte hadden iets gemeen. Ze waren allebei door hun vaders naar zee gestuurd, om hard te worden, elk op hun eigen manier, om hun bestemming te vinden, niet noodzakelijkerwijs iets groots te worden, maar iets anders dan wat ze nu dreigden te worden, namelijk misdadiger en kunstenaar. PW werd toch kunstenaar. Putte werd een lijk. Welke vader was het wanhopigst? En terwijl Putte zich aan boord steeds impopulairder maakte, laf, geniepig en twistziek als hij was, bereikte PW tot zijn eigen verbazing het tegenovergestelde, hij maakte zich populair door portretten van de bemanning te tekenen, portretten die zelfs leken, en dat op een flatteuze manier. Een aantal van die tekeningen is later aangekocht door galeries en musea, waaronder het portret van Putte die in de Tequila Bar in Barcelona zit, slechts enkele dagen voor zijn dood, en het is een romantisch, bijna heroïsch portret van de jonge zeeman, een soort 'Eland in zonsondergang' voor slapeloze dagdromers, Putte poseert, hij probeert te lijken op iemand die hij niet is en PW zorgt ervoor dat hij zowel op zichzelf lijkt als op de man die hij niet is, dat is zijn kunst. En dat ergert me soms nog steeds, mateloos bijna, en ik ben verder een lankmoedig iemand, geloof ik, dat dit rapaille, deze rat en rotzak, deze nazi op een brommer, Putte dus, eeuwig zal blijven voortbestaan in de jonge, hartstochtelijke penseelstreken van PW, die ook bij een ongeluk om het leven kwam, nog maar een paar jaar geleden, toen hij het leven van zijn dochter redde en hij dat zelf met de dood moest bekopen, en op die manier kregen hij en Putte nóg iets gemeenschappelijks, in een soort symmetrie over lange tijd, namelijk een plotselinge dood. Ikzelf zal me Putte herinneren met een helm vol pis. Zó moet hij eeuwig voortbestaan.

Maar nogmaals: er is meer dan genoeg over Putte gezegd.

Toen ik naar huis fietste, in een heel goed humeur, begon het te sneeuwen. Ik zag het eerste vlokje in de Bygdøy allé, het kwam uit het niets, uit een hoge, heldere hemel, en ik had nog nooit zo'n eenzame sneeuwvlok gezien, die op en neer dwarrelde tussen de kale bomen, landde voor de etalage van Bruns Muziekhandel en daar als een wit plectrum op de stoep bleef liggen.

In Skillebekk waren de randen die de sneeuwploeg had achtergelaten al hoger dan de vuilnisbakken.

Ik stalde mijn fiets in de kelder, tussen de ski's en de houtblokken, poetste het frame, maakte de ketting en de naaf schoon en toen ik de spaken aan het poetsen was kwam mijn vader de kelderbox binnen. Hij zei eerst niets. Toen gaf hij me een grote dot poetskatoen waaraan ik mijn handen kon afvegen. Dat deed ik.

'Elk jaar weer even onverwacht', zei mijn vader.

'Wat?'

'De sneeuw.'

'Ja', zei ik.

Ik gooide het poetskatoen op de vloer.

Vader raapte het op.

'Hoeveel heb je nu al met al verdiend?' vroeg hij.

'Weet ik niet precies', zei ik.

'Dat moet je wel weten.'

Ik haalde de kartonnen doos van de bagagedrager en stampte die plat.

Mijn vader keek toe.

'Ik heb eens nagedacht over die gitaar', zei hij.

Ik draaide me naar hem om.

'Ja?'

'En ook over die encyclopedie.'

Ik begon ongeduldig te worden.

'Wat bedoel je?'

'Misschien moet je in plaats daarvan maar een fototoestel kopen.'

'Ik hoef geen fototoestel.'

Vader wreef de vieze dot poetskatoen tussen zijn handen.

'Moeder kan er ongetwijfeld goedkoper aankomen.'

'Ben je doof of zo?'

Vader keek me verbouwereerd aan, scheurde de dot in tweeën en stak beide helften in zijn zak.

'Wat zei je?'

'Niks.'

Ik deed mijn fiets op slot. Hier zou hij de rest van de winter blijven staan, op slot, in de kelderbox.

Vader legde een hand op mijn schouder.

'Je geld sparen is natuurlijk sowieso het beste.'

Daarna liepen we de stille trappen op, naar moeder.

Ik had 736 kronen en 20 øre. Ik kwam 1.513 kronen en 80 øre tekort. Ik was nog niet eens op de helft.

Het bleef maar sneeuwen.

Een gele sneeuwruimer denderde er elke nacht doorheen.

Het werd december en er waren nog nooit zo veel bloemen geweest als nu. Ik overwoog even om mijn ski's te pakken maar liet het gelukkig bij de gedachte, want de ondergrond veranderde van hoek tot hoek en ik had geen zin om er steeds weer andere wax op te moeten smeren als ik alleen maar van de Olaf Bulls plass naar Sankthanshaugen moest. Ik liep. Ik liep met bloemen. Ik liep met sombere kransen naar het Vestre Krematorium, want in december stierven de meeste mensen. Ik liep met fleurige boeketten naar de kraamkliniek in de Josefines gate, want er kwamen ook veel mensen ter wereld in december. Ik leerde nieuwe adressen kennen en kon ze een voor een op de juiste plek in de Bijbel van de Bloemenbezorger noteren, Damstrede, Stensgate, Inkognito terrasse, Grønnegate, Arbins gate, er was er zelfs een die Dunkers gate heette, ik liep waar de sneeuwploeg had geploegd, maar op een dag moest ik mijn toevlucht zoeken achter de sneeuwhopen in de Tidemands-gate, bij Lunds Camera en Film. Het was die ene dag dat mijn moeder daar ook werkte. Ze zat met haar jas aan op een stoel in de hoek en maakte een verloren indruk, en ik had nog wel gedacht dat ze altijd blij was als ze hier werkte, maar nu was het net of ik haar op heterdaad betrapte, ik herkende haar bijna niet en ik kreeg zin om rechtsomkeert te maken. Toen zag ze eindelijk dat ik het was.

'Wat zie jij eruit', zei ze.

Ik bleef toch staan, in een plas, tussen alle camera's, lenzen, projectoren, hoezen en lijstjes.

Er was geen ander geluid in de winkel te horen, alleen mijn moeder.

'Ben je alleen?' vroeg ik.

Mijn moeder stond op.

'De baas zit vast op de Carl Berners plass.'

Ik was lichtelijk onder de indruk.

'Dan ben jij dus de baas', zei ik.

Moeder lachte en leek weer op zichzelf.

'Zo had ik het nog niet bekeken.'

'Jij bent de baas', herhaalde ik.

Moeder legde haar jas over de stoel, maar hield haar handschoenen aan. Ik kon me niet herinneren die handschoenen eerder gezien te hebben, ze waren grijs, strak, van een gladde, zachte stof.

'Jij bent sowieso de enige die hier met dit weer komt', zei ze.

De sneeuw lag als een schaduw op het raam en sloot ons bijna op.

Ergens uit de verte, misschien bij Skarpsno, kwam een sneeuwploeg aangereden.

'Ik moet ervandoor', zei ik.

Moeder legde een hand op mijn arm.

'Ik maak eerst een kop thee. Dat kun je wel gebruiken.'

Moeder nam mee naar de studio die naast de winkel lag. Midden in de ruimte stond een camera op drie poten. Een van de wanden was bedekt met een wit laken. Dat moest waarschijnlijk de achtergrond voorstellen, de neutrale achtergrond die alles kon verbeelden. Op de vloer was een kruis getekend, met krijt waarschijnlijk, waar degene die gefotografeerd zou worden moest staan om scherp in beeld te komen. Voor een spiegel in de hoek konden mensen die dat wilden, voornamelijk dames, nam ik aan, zich opmaken, hun haar opsteken, tanden poetsen, lippenstift opdoen, wat maar nodig was, in een ijdele poging zich mooier voor te doen voor de eeuwigheid. Op een tafel lagen diverse rekwisieten: een zwaard, een bal, een omslagdoek, een beer, een parasol, een boa, een hoed, en ik dacht meteen: talismannen, de wereld was vol talismannen.

Moeder had de thee al klaar in een groene thermoskan.

Ik kreeg een warm kopje.

'Zal ik een foto van je maken?' vroeg ze.

'Mag dat?'

Ze glimlachte.

'Ben ik soms niet de baas?'

Ik dronk de zoete, goudkleurige thee op, die al snel koud en bitter werd, terwijl mijn moeder alles klaarzette. Ze trok het laken recht, deed een lamp aan, verschoof een stoel. Ik wilde eigenlijk helemaal niet gefotografeerd worden. Gefotografeerd worden was wel het laatste wat ik wilde. Ik weet niet precies waarom, maar dat vervulde me met een mateloze, ondoorgrondelijke angst. Mijn hart was in minstens heel Oslo 2 te horen. Alleen moeder hoorde het niet. Moeder was vandaag doof. Ik was niet bang voor de foto op zich. Maar voor de tijd. Door het besef dat alles de hele tijd voorbij was, begonnen mijn handen ook te beven, mijn hart en mijn handen beefden om het hardst, want in dat simpele inzicht, dat alles afgemeten was, dat mijn hart een bepaald aantal slagen te slaan had en mijn handen een bepaald aantal handelingen te doen, lag ook de lach van de dood besloten en de dood lacht zoals bekend het laatst. De gedachte aan hier vastgenageld te worden op een simpel kruis van korrels, licht en seconden maakte het er uiteraard ook niet beter op.

'Je zei dat ik er niet uitzag', zei ik.

Moeder hield haar hoofd schuin, plagerig.

'Ben je opeens ijdel geworden?'

Ik wendde me van haar af en wees naar de bespottelijke rekwisieten.

'Ik wil in elk geval niks van die rotzooi daar gebruiken. Oké?'

'Oké.'

'En vooral dat zwaard niet.'

Moeder kwam dichterbij, ze zei: 'Je hoeft alleen maar jezelf te zijn, jongen.'

Mezelf?

Dat stelde me niet echt gerust.

'Waarom doe je je handschoenen niet uit?' vroeg ik.

Maar moeder had geen tijd om daarop te antwoorden. Ze paste de hoogte van het statief aan en toen moest ik op het kruis tussen het laken en de camera gaan staan.

Ik zong in mezelf:

*Listen, do you want to know a secret*

*Do you promise not to tell*

'Probeer een beetje te glimlachen', zei mijn moeder.

Ik legde mijn handen op mijn rug.

'Ben jij gelukkig?' vroeg ik.

Moeder kwam overeind en keek me aan, verbluft, verlegen bijna, en dat was ik ook, verlegen en verbluft. Het was er gewoon uitgefloept. Alsof ik had overgegeven, bijna. Ik had het woord nog nooit gebruikt, gelukkig, ik had het gelezen, maar nooit gezegd, dit was de eerste keer dat ik het zei, gelukkig.

'Gelukkig?' herhaalde moeder.

Ik keek naar mijn winterschoenen, naar de grijze wollen sokken die over de rand waren gevouwen, en ik zou willen dat ze het gewoon weglachte, het allemaal zou vergeten of gewoon zou zeggen ja, kort en bondig ja, want dat was immers het antwoord dat ik wilde horen, maar in plaats daarvan bleef ze zwijgend bij de camera staan en het antwoord dat ze me niet gaf, was afdoende antwoord, en was het ergste wat ze had kunnen zeggen.

'Ik weet het niet', zei ze ten slotte.

'Weet je dat niet?'

'Soms ben ik gelukkig. Maar niet de hele tijd.'

'Wanneer dan wel?' vroeg ik.

Mijn moeder glimlachte.

'Nu, bijvoorbeeld.'

En op dat moment drukte ze af.

Daarna gingen we naar de donkere kamer, waar mijn moeder het negatief in een vergrootapparaat kopieerde en het harde papier voorzichtig in een bad met heldere vloeistof liet zakken dat loom deinde en zich boven de zwarte kristallen sloot, en langzaamaan werd ik zichtbaar in vloeibaar zilver, mijn gezicht, mijn voorhoofd, ik kwam uit het verwrongen licht naar voren, scherp en streng, mijn mond, mijn neus, mijn voorhoofd, mijn ogen, en eindelijk opende mijn blik zich op de foto op de bodem van de bak en keek op naar mij.

'Pak hem maar', zei mijn moeder.

'Ik? Doe jij maar.'

'Ik kan het niet.'

'Kan het niet? Wat bedoel je?'

Ze stak de gladde handschoenen uit.

'Ik heb eczeem. Jij moet het doen.'

'Eczeem? Heb je eczeem gekregen?'

Mijn moeder trok de handschoenen uit. Haar handen waren vlekkerig en opgezwollen, alsof ze gewond was, misschien zag het er onder het rode, naakte peertje aan het plafond nog wel erger uit, de huid dwarrelde van haar vingers, haar knokkels leken op open wonden, het waren mijn moeders kapotte handen, en ze werd ongeduldig.

'Schiet op', zei ze.

Ik aarzelde, ik aarzelde net te lang, en mijn gezicht verdween weer, het zonk weg in de witte, verblindende kristallen en ik sloot mijn ogen op het moment dat het zwarte zilver boven me bevroor en ik zei het niet, maar ik was opgelucht.

Mijn moeder pakte haar jas en deed de deur van Lunds Camera & Film achter zich op slot. Het was de laatste keer dat ze daar was. We liepen samen naar huis.

De chemie van een verhaal, wordt gezegd, en ik ben het daar niet helemaal mee oneens, ook al klinkt het wat schoolmeesterachtig, is ook te vergelijken met die vloeistof in het bad in een donkere kamer: ervaring, lezing, fantasie. Ik wil een andere methode, of formule noemen: als je geboren wordt, ben je zonder geschiedenis. Als je doodgaat, ben je alles al vergeten. En in de tussentijd houdt je geheugen je voor de gek. Daarom leg ik elke avond de negatieven in het bad van de herinnering, en herinnering moet geenszins worden verward met geheugen, ze verhouden zich namelijk tot elkaar als de kaart tot het gebied, en op gelukkige, ja, gelukkige momenten, kan ik de korrels zien die zich op het papier tot taal verzamelen.

Ik noem dat mijn camera obscura, mijn Arabisch diorama: ik sneed een gat, niet groter dan een millimeter, in het rolgordijn en de schaduw van het universum viel op een witte wand in Skillebekk.

Op een dag stormde en sneeuwde het zo hard – je kon nauwelijks van hier tot Solli kijken – dat Finsen Zelf besloot de bloemen met de auto te bezorgen. Ik wist helemaal niet dat hij een auto had. Die stond ondergesneeuwd op de binnenplaats achter Finsens Flora. Misschien was het ook niet zo vreemd dat hij hem daar had neergezet. Het was een Goggomobil. Hij was vierkant en groen, voor zover ik kon zien, en had een topsnelheid van ongeveer zes knopen per uur, let wel, op een rechte weg met de wind mee; ter vergelijking, een Škoda Octavia bijvoorbeeld, jaargang 1961, haalde onder normale omstandigheden 130 kilometer per uur.

Het grootste verschil tussen een dinky toy en een Goggomobil was dat je er een rijbewijs voor moest hebben. Finsen Zelf was die dag chagrijnig en snel op zijn teentjes getrapt. Hij was chagrijniger en sneller op zijn teentjes getrapt dan ooit.

'Jij houdt je kop en gaat sneeuw scheppen', zei Finsen Zelf.

We kregen de Goggomobil los, legden de pakketjes in de kofferbak, stapten in, het was minstens min twaalf in de auto, reden achterwaarts de poort uit en moesten al in de Frognervei stoppen achter de tram die niet verder kon rijden omdat een Opel met zijn linkervoorwiel op de rails stond geparkeerd, voor herenkapsalon Sørensen.

'Stomme rottram!' riep Finsen Zelf.

'Eigenlijk is het de schuld van de Opel', zei ik.

Finsen Zelf balde beide vuisten.

'Jij houdt je kop en zegt niks terwijl je zwijgt! Hoor je dat, stom weekdier? Of wil je soms met de tram? Nou? Wil je met de tram?'

Ik schudde mijn hoofd, want ik nam aan dat hij zich die laatste vraag het best herinnerde, of ik met de tram wilde, en toen knikte ik, om duidelijk te kennen te geven dat ik niks zou zeggen.

Kortom: Finsen Zelf was weer met roken begonnen.

Hij vond een sigaret in het handschoenenvakje, wist die aan te steken, zoog eraan als een zuigeling en kalmeerde.

We wachtten tot de chauffeur zou komen om de Opel weg te zetten. Dat gebeurde niet. Achter ons werd de file steeds langer, die kwam bijna tot de Solli plass, misschien wel helemaal tot aan het Nationaltheater in het centrum, dat zou me niet verbazen. De conducteur rinkelde met alle bellen die hij tot zijn beschikking had en Finsen Zelf beukte op de claxon. Maar dat hielp ook niet.

'Vast dezelfde stomme klotetram als die over Halvorsens bloemen gereden is', zei hij.

Ik wilde hem erop wijzen dat het dus de Opel was die verkeerd geparkeerd stond, maar bedacht me. Met Finsen Zelf in zo'n humeur viel niet te spotten. In plaats daarvan zei ik: 'Ik vraag me iets af.'

'O, ja, toe maar hoor, lach jij maar om mijn auto! Lach je maar helemaal ziek!'

'Ik lach niet.'

'Ik zal je één ding zeggen: Basse Hveem maakte hier reclame voor Goggomobil en als een Goggomobil goed genoeg is voor Basse Hveem dan is die verdomme ook goed genoeg voor ons! Is dat begrepen?'

'Wie is Basse Hveem?'

Finsen Zelf zuchtte.

'Basse Hveem, broekventje, Basse Hveem is acht keer Scandinavisch kampioen speedway geweest en net zo vaak Noors kampioen en als Basse Hveem bloemen voor mij had rondgebracht en niet al vorig jaar was overleden dan hoefde ik nu verdomme niet vast te zitten achter die rottram! Ik ga de trammaatschappij aanklagen. Dat ga ik doen, ik neem contact op met Alf Nordhus en klaag de Oslo Sporveier aan!'

Ik vroeg niet wie Alf Nordhus was, de beruchte strafpleiter die in de Mogens Thorsens gate woonde, de straat waar ik drie maanden geleden mijn eerste pakketje had afgeleverd.

Ik zei: 'Niet de tram, maar die Opel staat verkeerd.'

Finsen Zelf draaide zich naar me om, zijn ogen waren toegeknepen, als rozijntjes, en hij stak weer een sigaret op, met de peuk van de vorige.

'Wat wilde je dan vragen? Hoeveel je krijgt als ik rijd? Jij denkt verdomme alleen maar aan geld! Geld is het enige wat jou interesseert! Laat ik je vertellen dat je precies hetzelfde als eerst krijgt en niet meer en niet minder, want ik doe verdomme niet onder voor Radoor!'

Ik probeerde het raampje naar beneden te draaien. Dat kon niet open. Ik kon net zo goed zelf beginnen te roken.

'Ik vroeg me alleen af waarom Halvorsen zijn vrouw achteraf toch geen bloemen wilde geven', zei ik.

Finsen Zelf zweeg even.

Twee passagiers liepen bij kapper Sørensen naar binnen, maar de eigenaar van de Opel was daar niet om voor de Kerst geknipt en geschoren te worden. De conducteur probeerde de politie te bellen, maar de politie onderzocht andere, grotere zaken en er was in de hele stad geen enkele kraanwagen beschikbaar. Het was een chaos zonder weerga in de Frognervei in december. Uiteindelijk moesten acht passagiers en de conducteur, onder luid applaus, de Opel op het trottoir tillen en ze sloofden zich behoorlijk uit voor de huisvrouwen die halverwege de helling even op adem kwamen en die op hun scheve boodschappenwagentjes waren gaan zitten om het tafereel vanaf de eerste rij gade te slaan.

Finsen Zelf nam het woord: 'Sommigen geven bloemen om anderen een plezier te doen. Anderen geven bloemen omdat ze spijt hebben van iets wat ze hebben gedaan. En weer anderen geven bloemen om de bloemen zelf. Daarover hebben de grote filosofen zich sinds het begin der tijden sufgepiekerd en ik ben slechts een eenvoudige man met twee jaar tuinbouwschool in Hardanger, maar ik kan je wel vertellen dat Halvorsen vast zo zijn redenen heeft gehad, en daar moeten we ons verder niet mee bemoeien.'

'Ja, ja', zei ik.

Eindelijk konden we verder rijden.

Er waren drie bestellingen in Hoff en Skøyen, daarna een groot bloemstuk voor de Bakkekro, het restaurant ten noorden van de ringweg bij Smestad, toen een kerstroos voor de Belgische ambassade, waar ik een ongestempelde postzegel als fooi kreeg, alsof ík iemand in België kende, en toen waren er zes pakketjes op rij in de sneeuwstorm tussen het Vestkanttorg en de Riddervolds plass en toen we daarmee klaar waren bracht Finsen Zelf de Goggomobil opeens tot stilstand in de luwte op de hoek van de Gyldenløves gate en de Haxthausens gate.

Ik haalde het volgende pakketje uit de kofferbak.

Finsen Zelf stak zijn desolate gezicht heel even uit het raam.

'Schiet op voordat de rest van de bloemen doodvriest en sta daar niet zo te staan', zei hij.

Het was voor Aurora Stern.

Ik belde beneden aan en holde de trappen op naar de tweede verdieping. De deur stond op een kier. Mijn hart sloeg ongemeen snel en ik had het gevoel, het, wat zal ik zeggen, duizelingwekkende gevoel dat ik zo vaak heb, dat het allemaal een droom is en dat ik elk moment wakker kan worden, maar waar ben ik als ik wakker word, waar ben ik dan, kijk, dat wist ik niet en ik ben er, gelukkig, nog steeds niet achter, want anders was ik hier immers niet geweest en als ik het had geweten, had ik er toch niet over kunnen vertellen.

Zo is dat nou eenmaal.

'Hallo', zei ik.

Ik hoorde haar stem in het appartement.

'Kom maar binnen. De deur staat open.'

Ik bleef ongeduldig en met weifelend gemoed op de koude overloop staan.

Uiteindelijk kwam Aurora Stern naar mij toe.

Ze droeg weer dezelfde donkere jurk, strak om haar middel als een zandloper.

Ik gaf haar het strookje.

Ze keek me verbaasd aan en zei: 'Ik heb espresso gemaakt. Lust jij espresso?'

Ik keek een andere kant op.

'Heb ik nog nooit gehad.'

Aurora Stern lachte.

'Eens moet de eerste keer zijn, nietwaar?'

'Ja …'

'En van espresso word je wakker. Je ziet er moe uit. Kom nou maar.'

Ik keek haar weer aan.

'Ik kan niet.'

Ze was verbaasd, er doofde iets in haar ogen en bij de wortels van haar korte, zwarte haar ontdekte ik een grijze streep.

'Kan niet?'

'Ik moet verder.'

'Je kunt toch wel even blijven?'

'Hij zit beneden in de auto.'

'Wie?'

'De bloemist. We zijn vandaag met de auto.'

Ik schond alle regels en zette het pakketje neer voordat ik de kwitantie had gekregen.

Maar Aurora Stern stak haar sterke, brede handen uit en legde ze op de mijne, die bijna verdwenen in deze plotselinge, zachte greep, en zo hield ze me tegen.

'Ik dacht dat je wilde weten wat er gebeurd is', zei ze.

'Ja.'

'Ik kan je vertellen wat er gebeurd is.'

'Maar ik heb geen tijd', zei ik.

'Je hebt altijd tijd.'

'Ik moet ervandoor.'

Ik probeerde me los te rukken.

En toen zag ik de zwachtels. Rond beide polsen had ze meerdere lagen zwachtels gewonden.

Aurora Stern was degene die losliet.

Ze tekende, ditmaal alleen met haar initialen, en deed snel de deur dicht.

Ik liep alle trappen naar beneden.

Ik zag de straatlantaarns, gedempte lichten, als satellieten uit hun baan.

Ik stapte in de Goggomobil.

'Moest je ook nog de trap schrobben, gloeilampen vervangen en linoleum leggen?' vroeg Finsen Zelf.

Er waren nog twee pakketjes over. De ene leverde ik af bij de receptie van het Lovisenberg Ziekenhuis en de laatste in de Holtegate, bij de beroemde literatuurprofessor Francis Bull, een magere man met grote wenkbrauwen, die sprekend leek op wat hij was, namelijk professor in de letterkunde en onvermoeibare pleitbezorger voor het verband tussen leven en literatuur, en waar zou ook anders verband tussen moeten bestaan, dan tussen literatuur en leven. Dan is de relatie tussen leven en leer meteen al een stuk ingewikkelder, dat zijn twee verschillende disciplines, zou ik willen beweren, die in de meeste gevallen weinig met elkaar te maken hebben, als je realisme boven idealisme verkiest. Leven en leer horen thuis in verschillende faculteiten. Francis

Bull gaf me een speculaasje. Ik at de helft op en gaf de rest aan de vogels.

Ik had 864 kronen, 50 øre en een olifant. Als het zo doorging was ik binnenkort op de helft. Ik lag voor op schema, met één arm los.

Maar ik merkte dat ik meer aan Aurora Stern dacht dan aan de elektrische gitaar. Aurora Stern en de Fender Stratocaster wisselden langzaam maar zeker van plaats in mijn nauwe bewustzijn. Ik hoopte elke dag vurig dat er een nieuw boeketje voor haar zou zijn. Ik wilde horen wat er gebeurd was. Ik zou geen rust vinden voordat ik hoorde wat er was gebeurd. Ik probeerde het me voor te stellen. Ik verzon dingen, maar vond geen rust, het maakte me alleen maar nog onrustiger, ongeduldiger, hoe meer ik verzon, des te meer wilde ik weten. Was ze in de piste gevallen en invalide geworden? Was ze iemand kwijtgeraakt en kon ze daar maar niet overheen komen? Ik sliep 's nachts niet. En die zwachtels om haar polsen, hoe zat dat, had ze geprobeerd om zichzelf kapot te snijden om te kijken of haar bloed nog vloeide? Had ze geprobeerd zelfmoord te plegen? Kun je je beide polsslagaders doorsnijden, eerst de rechter-, en daarna de linker-, met de al gewonde, druipende rechterhand? Als ze zo vastbesloten was geweest, waarom leefde ze dan nog? Ik verzon dingen, maar vond daar nog geen rust door, het maakte me alleen nog maar onrustiger, ongeduldiger, want hoe meer ik verzon, des te meer wilde ik weten. Ik was als de drinker die zijn eerste slok neemt, de pyromaan die een luciferdoosje ziet. En ik zie nu plotseling dat twee woorden in onze taal zich slechts door twee letters van elkaar onderscheiden, een r en een n, namelijk verzinnen en veinzen, en hoewel ze een volkomen andere betekenis hebben, houden ze toch verband met elkaar, en misschien kun je het wezen van de dichter terugvinden in deze twee woorden, want terwijl ik verzon wat er met Aurora Stern gebeurd kon zijn, veinsde ik ook, ik leidde heimelijk een avontuurlijk leven, buiten iedereen om, of achter mezelf.

Maar er kwamen geen pakketjes meer voor Aurora Stern. Er kwam geen volgende keer. Ik wachtte. En terwijl ik wachtte, bracht ik bloemen bij alle andere mensen in deze stad, behalve bij Aurora Stern, en ik had met alle liefde elk van die pakketjes opgeofferd, ondanks het dramatische inkomstenverlies dat dat met zich mee zou brengen, voor één enkele bloem voor Aurora Stern in de Haxthausens gate 17.

Ik wil de gelegenheid aangrijpen, nu ik het einde nader, om in het voorbijgaan een kort verhaal te vertellen dat, à propos Francis Bull, zowel zelf meegemaakt als waargebeurd is, maar vooral het eerste, een verhaal dat Francis Bull, denk ik, wel had weten te waarderen. Voordat ik hier kwam, naar de boekenbeurs in Parijs, was ik in Moskou, op een soortgelijke boekenbeurs, ik ben feitelijk rechtstreeks van Moskou naar Parijs gevlogen, met slechts een korte tussenlanding in Stockholm. Er is altijd wel ergens ter wereld een boekenbeurs, is het niet in Parijs of Moskou, dan kun je er donder op zeggen dat er eentje in Vilnius, Rio, Montreal of Edinburgh is. Ik ben er geweest. Ik heb de afgelopen jaren als een handelsreiziger in romans geleefd. Maar in Moskou was ik nog nooit geweest. De afspraak was dat mijn uitgever me op het vliegveld zou afhalen. Dat deed hij niet. Ik wachtte een uur. Ik wachtte er twee. Ik ging midden in de haveloze hal staan en maakte me zichtbaar. Dat hielp niet veel. Ik begreep de taal niet. Ik begreep de letters niet. Ik begreep het geld niet. Kortom, ik speelde een uitwedstrijd. Het enige wat ik wist, was de naam van het hotel waar ik zou logeren, Hotel M, niet ver van het Rode Plein, volgens de geruchten een uitermate exclusief hotel, waar zowel staatshoofden als rocksterren plachten te overnachten als ze in Moskou waren. Ik had, zoals gezegd, de wind mee, en meewind is een langzame manier van sterven. Ik deed alles op mijn ruggenmerg, ik was zelfverzekerd en sloom tegelijk, maar ik had moeten snappen, toen ik tevergeefs op mijn Russische uitgever wachtte in Moskou, dat meewind ooit gaat liggen, misschien begon op dat moment wel de Franse stoel te wankelen op het geïmproviseerde podium. Ik had me niet aan nog meer gevaren moeten blootstellen. Ik had me beter terug kunnen trekken en op mezelf moeten passen. Ik had naar mijn moeder moeten luisteren: wees voorzichtig. Ik probeerde iemand te bellen, maar mijn mobieltje deed het ook al niet, of ik had geen bereik. Ik speelde dus een uitwedstrijd. En plotseling stond ik midden in een groepje snorders. Ze waren vriendelijk, op een meedogenloze, directe manier. Een man pakte mijn koffer terwijl twee anderen me een lift in duwden. Ik protesteerde. Dat hielp niet. Ze waren erg resoluut en breedgeschouderd en zwijgzaam op z'n Russisch. Ik overwoog te gaan schreeuwen, om hulp te roepen, maar deed dat niet, de beleefdheid verbood me dat, opzien baren was absoluut het laatste wat ik wilde, ik dreigde dus ontvoerd, mishandeld en uit de weg geruimd te worden en dat enkel en alleen omdat ik zo'n beleefde inborst heb, iets wat overigens niet gebeurde, dat ik werd ontvoerd, mishandeld en uit de weg geruimd, getuige het feit dat ik kan vertellen over deze gebeurtenis, in deze bijzin, en ik die in het verhaal kan verweven als een bonustrack op een verzamel-cd met oude hits. Het belangrijkste is echter niet hoe alles eindigt, het einde is zoals het is, belangrijker is hoe je daar komt, bij het einde, want dat kost de meeste tijd en vereist de grootste inzet, alle keuzes die je moet maken, welk tempo je moet aanhouden, de moeizame loop der gebeurtenissen, en niet in de laatste plaats de volgorde, die nooit toevallig is, maar ook niet logisch, ik zou het een soort poëtische orde willen noemen; het einde is daarentegen voorbij voordat je er erg in hebt, dus sta daar niet te veel bij stil. Maar van al die dingen wist ik toen nog helemaal niets, ik was aangewezen op de vloek van het moment, ik kon noch de volgende stap plannen noch putten uit ervaring. Ik had oogkleppen en tunnelvisie als een afgedankt paard tussen de renbaan en het slachthuis, ik stond glimlachend, beleefd en bespottelijk in een lift, een goederenlift nog wel, in Moskou, omringd door drie vreemde mannen. Ze leidden me over een parkeerplaats naar een steile grindgroeve. Ik dacht: in die grindgroeve gaan ze me begraven. Ze bleven staan bij een oud Oost-Europees wrak, een Trabant, als ik me niet vergis, die wel iets weg had van de Goggomobil van Finsen Zelf, maar dit wrak verkeerde in een veel slechtere staat. Ik betwijfel of de Rijksdienst voor het wegverkeer in Noorwegen deze Trabant op de weg zou hebben toegelaten. Het was bijna een troost dat te denken, die doodgewone, nuchtere gedachte. Misschien hield de Russische politie ons ook wel aan als ze dit roestige barrel zagen. De eerste man legde mijn koffer in de achterbak en ging achter het stuur zitten, terwijl de twee anderen opge-

wonden hun vingers tegen elkaar wreven, het internatio-
nale gebaar voor geld, ze waren ook erg ongeduldig en ik
haalde meteen mijn portemonnee tevoorschijn en gaf hun
gewillig wat ik had, alle soorten geld, dollars, euro's, pon-
den, roebels, mijn hele reisroute in valuta, ze telden het
bedrag steeds maar weer na, ik had hun bijna ook mijn
horloge en ring gegeven, maar ten slotte leken ze toch tevreden, ze zeiden iets tegen elkaar, op hun norse toon, duwden
me op de achterbank van de Trabant die vol lag met lege
flessen, versleten trainingspakken en sloffen Pall Mall, gaven een kort bevel aan de chauffeur en smeten het portier
dicht. Ik probeerde het weer open te doen. Het portier zat
van buitenaf op slot. De situatie was obscuur, bizar. Ik was
er, zoals gezegd, geen heer en meester over. De situatie was
heer en meester over mij. Ik was een aangelijnde hond. Ik
kreeg een droge mond en voelde een loodzwaar, fel onbehagen dat over ging in intense angst, ja, pure, onverdunde
paniek. Ik heb altijd gedacht dat op deze manier een droge
mond krijgen een cliché uit de misdaadromans was, maar
nu wist ik wel beter, het was alsof alle vocht uit mijn mondholte werd gezogen terwijl mijn tong verschrompelde en
mijn lippen als papier over mijn tanden verdorden. Het was
bijna net alsof ik weer op de middelbare school zat, maar
deze angst was anders. Deze angst had ik nog nooit gevoeld.
Op de keper beschouwd waren al mijn zorgen tot nu toe
onbeduidend geweest, in het begin waren het Skillebekkse
zorgen, een plaaggeest die Putte Göring heette, een boeket
dat ik niet had afgeleverd, een reclameposter met een weinig flatteuze foto van mij, rapportcijfers, wat halfslachtige
dubbelslagen die mijn supraventriculaire extrasystole vorm-

den, een vrouw die Aurora Stern heette, en later de angst
om dingen niet af te krijgen, die overal en op elk moment
met enorme kracht kan toeslaan, aan boord van een vlieg-
tuig bijvoorbeeld, op straat, op een feestje, en dan moet ik
opstaan van tafel en vertrekken, een op zich fatsoenlijke
angst waar ik me niet voor hoef te schamen, maar toch van
een heel ander kaliber dan de angst die ik nu voelde, op de
achterbank van een Trabant in Rusland, namelijk doods-
angst. En toen reden we weg. Ik wist niet in welke richting
Moskou, hotel M, het Kremlin, het Rode Plein of het mau-
soleum van Lenin lagen. We vertrokken gewoon, verlieten
het parkeerterrein en de grindgroeve, reden door een mie-
zerig bosje, over een smalle, hobbelige weg. De sneeuw lag
in vieze plakkaten aan weerszijden in de berm. De hemel
leek te vallen. Zou dit de juiste weg kunnen zijn, of werd ik
naar een nog afgelegener plek gebracht, waar vreselijke dingen zouden gebeuren? Ik probeerde in de spiegel een glimp
op te vangen van de blik van de zwijgende, koppige chauffeur, om daar wellicht uit te kunnen duiden wat er ging
gebeuren. Hij was vrij jong, in de twintig, zijn gezicht was
breed en gesloten, er viel helemaal niets te duiden. Hij was
onduidelijk, in de juiste zin van het woord. Hij was open
als een bivakmuts. Zijn vierkante hoofd was kortgeknipt,
gladgeschoren, en daar werd ik ook niet vrolijker van, ik
ben namelijk uitermate bevooroordeeld, ik dacht meteen
aan neonazi's, hooligans en ander tuig. Ik wist zijn blik niet
te vangen. Hij staarde recht voor zich uit, door de vieze
voorruit. Zijn handen op het stuur waren groot als putdek-
sels. Hij zou wel de man voor het vuile werk zijn. De eerste
twee maakten zich niet vies en pakten het geld. Maar nu ze

me in de Trabant hadden gelokt en het portier van buitenaf op slot hadden gedaan, zou deze chauffeur zometeen ook nog mijn pasjes pakken en me de pincodes ontfutselen, met behulp van sigarettenpeuken en grof geweld. Ik overwoog even hem met een lege fles op zijn achterhoofd te slaan, maar deed dat niet. Dat kwam weer door die beleefdheid. Die was een vloek. We kwamen op een bredere weg. Op hoge, bijna weggewaaide affiches bij een gesloten benzine-station werd reclame gemaakt voor een concert met de restanten van de Bee Gees, volgende maand. Er reed ons een aantal auto's voorbij. Ik zwaaide voorzichtig. Of ze zagen me niet, of ze zwaaiden glimlachend terug voordat ze verdwenen. Ze begrepen niet wat ik bedoelde. Een oude vrouw zat op een stoel in de berm medailles uit de Tweede Wereldoorlog te verkopen. De chauffeur sloeg een kleinere weg in en we kwamen langs een paar enorme flatgebouwen, vijf in totaal, elk ervan een hele stad op zich, daar bloemen rondbrengen zou minstens een jaar hebben gekost, het waren communistische steden uit de jaren zestig, ideologische architectuur met dunne wandjes, zodat iedereen te allen tijde kon horen wat de buurman zei, tegenwoordig niet meer dan een sloppenwijk, kapotte paraboolantennes en wasgoed vochten om een plaatsje op de smalle balkons, het vuilnis puilde uit kapotte ramen, de deuren hingen uit de scharnieren. Toen zag ik een jongetje. Hij stond tussen die flatgebouwen in. Hij hield een ballon vast, een rode ballon, aan een lang dun touw, en volgde die met zijn ogen, de ballon zwaaide als een omgekeerde pendel, de enige kleur in deze grauwe wind. En die aanblik deed me niet alleen denken aan het schilderij *The balloon flew away,* het was bijna

164

een getrouwe kopie van dit werk van de Russische, of Sovjetkunstenaar Luchishkin, dat ik overigens had gezien in het Guggenheim in New York en dat hij in 1926 had geschilderd, vlak voordat hij bij Stalin in ongenade viel en hij naar het Westen moest vluchten. Dat schilderij laat een rode ballon zien die tussen twee flatgebouwen opstijgt, en we kunnen de bewoners van de verdiepingen zien, niet de helden van de revolutie, maar gebroken, wanhopige mensen, geteisterd door waanzin en nachtmerries, eentje heeft zich zelfs verhangen aan de lamp, anderen hebben het domweg opgegeven, terwijl de rode ballon verdwijnt naar een onzichtbare hemel. En is dit niet een schilderij dat in wezen over leven en leer gaat? De leer die het leven wordt opgedrongen als de laars die een bloem verplettert, de rode droom en het juk van diezelfde grootse droom die de mensen in het flatgebouw moesten dragen, Luchishkin loopt hier in 1926 al op de gebeurtenissen vooruit, helderziend en omineus, met dit simpele, sombere visioen, dat bewaarheid zal worden, hoewel het tegenovergestelde zijn doel moet zijn geweest, namelijk waarschuwen, voorkomen. Maar het was te laat. Het leven had weinig geleerd. En de leer wist net zo weinig van het leven. Ik zag hoe het touwtje uit de hand van de jongen glipte en op die manier vervolmaakte hij, ongewild, de kopie van Luchishkins schilderij. Ik zag de jongen die, huilend, dacht ik, de ballon met zijn ogen volgde, zo lang mogelijk, net als ik, ik volgde de rode ballon met mijn ogen tot hij verdween onder de lage, vallende hemel. De chauffeur stak een sigaret op. Dat maakte een dreigende indruk. We hadden de flatgebouwen en het huilende jongetje achter ons gelaten. Er was hier geen verkeer. De velden waren zwart, met grijze sneeuwranden er omheen. En plotseling zei de chauffeur iets, het was het eerste wat hij zei en misschien wel het enige woord dat hij kende in het Engels: 'Business.'

Ik schrok en wilde het portier openmaken, ook al reden we nog, dat was, zoals gezegd, op slot, en het raam kreeg ik ook niet naar beneden. Business? Gingen we nu Russische zaken doen, op een braakliggende akker bij de ruïnes van een kolchoz?

'Business', herhaalde hij.

Ik slikte, maar er viel niks te slikken, mijn mond was zo droog dat ik ternauwernood kon praten en daarom schudde ik mijn hoofd terwijl ik tegelijkertijd zei: 'Bookfair.'

De ogen van de chauffeur gleden snel voorbij in de spiegel, kwamen weer terug en bleven daar hangen.

'Dostojevski', zei hij.

Ik knikte.

'Hamsun', zei ik.

Zijn brede gezicht spleet open in een grote glimlach.

'Tolstoj', zei hij.

'Ibsen', zei ik.

Ik ontmoette zijn blik en glimlachte ook, want ik wist dat ik niet meer in gevaar was, misschien was ik wel nooit in gevaar geweest, maar dat kon ik niet weten, nu wist ik het, dat ik niet meer in gevaar was en is dit niet de ware samenhang tussen leven en literatuur, namelijk dat de literatuur ook levens kan redden?

'Tsjechov.'

'Obstfelder!'

'Poesjkin!'

'Bjørnson!'

'Toergenjev!'

En zo gingen we door, tot ik de koepels van het Kremlin zag in de koude mist en de chauffeur me naar Hotel M reed. Hij wilde mijn koffer het laatste stukje dragen, hoewel ik protesteerde, ik kon hem zelf wel tillen, iets waar hij het niet mee eens was, we stonden op het trottoir elk aan één kant van de koffer te trekken, en ten slotte liet ik hem begaan, als tegenprestatie stond ik erop hem een gesigneerde roman te geven in een taal die hij niet begreep. We namen afscheid als dikke vrienden. Mijn uitgever wachtte in de lobby. Ik weet niet wie van ons wat verkeerd had begrepen. Het maakte ook niet uit.

'Hoe was de reis?' vroeg hij.

'Uitstekend', zei ik.

In mijn kamer lagen de vliegtickets naar Parijs klaar, waar ik nu van het toneel val, voor de ogen van een ontzet publiek.

Ik noemde daarnet de angst om dingen niet af te krijgen.

De angst om dingen wel af te krijgen is even groot, zo niet groter.

Ik nader het einde en daarom rek ik de tijd op en kort hem in. Kerstcadeaus 1965:

Moeder: Nivea handcrème voor ruwe en gebarsten huid.

Vader: een geribbelde rubberen duim, om sneller geld te kunnen tellen.

Wat ik zelf kreeg kon ik natuurlijk nog niet weten, twee weken voor Kerst, maar het was, onder andere, een sjaal die mijn moeder had gebreid en die minstens drie keer om mijn hals kon, hij was blauw met zwarte strepen, wat anderen er ook over zeggen, en ik heb hem jarenlang gedragen, tot ik hem weggaf aan het Leger des Heils, ook met Kerst, en misschien loopt er nog steeds iemand rond met die sjaal, blauw, met zwarte strepen.

Het werd plotseling zacht weer. De sneeuwranden, de skiloipes, het Vigelandpark en Bislett stroomden weg in goten en putten. Toen kwam er een nacht met vier ringen om de maan en een even strenge vorst. De volgende ochtend was het net alsof er een golf uit de fjord over de stad was geslagen en daar was vastgevroren. Het Rode Kruis kon 48 gebroken heupen in één etmaal melden volgens de *Aftenposten*, waarin ook te lezen stond dat de Amerikaanse komiek Danny Kaye in Oslo was, op uitnodiging van het Noorse Nobelcomité, om de uitreiking van de Vredesprijs aan Unicef bij te wonen, en dat de Amerikanen toestemming hadden gekregen om traangas te gebruiken in Vietnam, toestemming van wie, dacht ik, zonder goed te begrijpen wat ik eigenlijk dacht, en ik ging bijna op mijn snufferd in de spekgladde Colbjørnsens gate, met een forsythia in mijn ene arm en een kerstroos in de andere.

Geen bloemen voor Aurora Stern.

Na een week begon het weer te sneeuwen en dit keer viel er meer sneeuw dan ooit.

Meneer Hals verplaatste zich op ski's van klas naar klas, met de beroemde druppel onder zijn neus, daar zat zijn hele pensum in, in die glanzende druppel, het Noorse adelsteken, bij wijze van spreken, voordat de zwarte olie het land overstroomde, namelijk de druppel van het zwoegen, het afzien en de schouders eronder.

We hadden een tentamen in sneeuw.

Nog steeds geen bloemen voor Aurora Stern.

En de derde zondag van de advent, toen mijn moeder zo schoon genoeg had van hoofdkaas, leverpastei, zeven soorten koekjes, varkenszwoerd, worsten, ham, ribbetjes en andere in- en uitgewanden van varkens en ossen en kalveren en koeien dat ze nauwelijks zin had om het voedsel dat ze van 's ochtends vroeg tot 's avonds laat en soms zelfs 's nachts had klaargemaakt aan te raken, laat staan op te eten, gingen we naar een kerstbuffet. We namen de tram naar station Holmenkollen en daarvandaan zwoegden we langs de uitloop van de beroemde springschans de heuvel op naar het eerbiedwaardige restaurant, dat als het ware op een wit plateau lag, hoog boven de stad, als een slot, met God als naaste buurman. Mijn moeder wilde het liefst met een taxi naar boven rijden en terug naar huis lopen, om het vet af te waggelen, zoals ze zei, maar als het om kerstbuffetten ging maakte mijn vader de dienst uit, hij had namelijk die week zijn kerstgratificatie van de bank gekregen en dat bedrag werd in zijn geheel in de jaarlijkse uitspatting geïnvesteerd, en hij beschouwde het ploeteren door sneeuw en tegenwind hier op de heuvel als een uitstekende manier om de eetlust op te wekken, bovendien gaf het je een goed geweten en het had immers geen enkele zin om naar een kerstbuffet te gaan als je slechts een enkel karbonaadje en een halve aardappel met jus op kon, bij een kerstbuffet moest je veel eten om echt waar voor je geld te krijgen, ja, hoe meer je at, des te goedkoper werd het en mijn vader zei altijd dat als je maar lang en veel genoeg at het uiteindelijk helemaal gratis was. Mijn vader was, met andere woorden, in een uitstekend humeur. Hij had zoals gewoonlijk een tafel bij de open haard gereserveerd. Bij binnenkomst waren we stijf van de kou. Toen gingen we zitten en smolten langzaam in de vlammen achter ons. Mijn moeder kreeg een rood hoofd en een geërgerde trek om haar mond toen haar kapsel over haar voorhoofd zakte en ze moest meteen naar het toilet om de ergste schade te herstellen en haar handen in te smeren.

Mijn blazer kromp al en spande over mijn schouders.

Mijn vader bestelde bier en keek me aan terwijl hij op de kelner wachtte.

'Je bent te groot geworden voor die blazer', zei hij.

'Nee, de blazer is te klein', zei ik.

'Ja, zo kun je het ook zeggen.'

Vader kreeg een glas bier met een grote schuimkraag en eindelijk kwam mijn moeder ook terug en kon de veldslag beginnen.

Ik bleef staan voor de overdadige, overvloedige en uitpuilende tafel, het typisch Noorse kerstbuffet, versierd met een enorme varkenskop in het midden van het witte tafellaken, en ik kon niet beslissen, nee, ik kon niet beslissen. Het was onmogelijk. Er viel zo veel te kiezen dat ik geen keuze had. Ik was domweg lamgeslagen. Ik beheerste de dramaturgie van het kerstbuffet niet. Ik raakte in de war van deze barokke maaltijd. Ik werd heen en weer geslingerd tussen ribbetjes en roompap, kip en bacon, cola en sinas, limonade en appelsap, zalm en varken, omelet en os, vossenbessen en amandelpudding en ik keek met stijgende verbazing, ontsteltenis bijna, zou ik willen zeggen, en gaandeweg ook met een zeker onbehagen, dat kan ik niet ontkennen, naar wat de andere gasten op hun borden wisten te laden, het was net alsof ze bang waren dat de rest zou worden opgegeten als ze niet alles in één keer pakten, ja, ze leken nerveus dat de tafel leeggehaald zou worden zodra ze die de rug toekeerden, ze konden niet genoeg grijpen en hadden nauwelijks tijd om te gaan zitten, ze stonden te eten, ze vraten, bunkerden, ze goten vanillesaus over de lamsbout, mengden ijs en zure haring, roerden rijstpudding door de stokvis, legden geitenkaas op de gravlaks en flatbrød in de chocolademelk en schonken bier en wijn en melk en borrels in een en hetzelfde glas, voor de zekerheid. Hier heerste de paniek. Ik stond midden op een slagveld. Ik zag mannen die elkaar in de haren vlogen, gewapend met vorken en varkenspootjes. Ik zag vrouwen hun handtassen volstouwen met varkensvlees en vispaté. Ik zag kinderen huilen bij lege dessertschalen. Ik kon het niet meer aan. Nu was ik degene die naar het toilet moest en daar stonden minstens twee mannen in hun zondagse pak luidkeels te kotsen, waarschijnlijk om plaats te maken voor nog meer eten, het was zoals mijn vader zei, hier moest je zo veel mogelijk eten, want je betaalde hoe dan ook dezelfde prijs. De manieren waren thuisgebleven. We hadden ons net zo goed in een duikpak en snorkel kunnen hijsen. Het was te veel van het goede. Zo ging dat bij een kerstbuffet.

Ik at in de loop van de avond drie garnalen, een bolletje ijs en twee partjes sinaasappel die ik onder de weke neus van de varkenskop had gevonden, en ik dronk één flesje cola.

Mijn vader was uitermate ontevreden over mijn prestatie en vond dat ik volgend jaar beter naar de bakker kon gaan om een kerstcake te kopen, als ik van plan was zo bescheiden te zijn, dan kon hij een aanzienlijk bedrag besparen, want als ik zo weinig at was dit een regelrechte verliespost, het restaurant verdiende er grof aan terwijl mijn vader moest dokken. Waarom werkte ik niet evenveel naar binnen als vorig jaar, of nog meer? Was mijn blazer misschien te krap? Of was ik gewoon ondankbaar?

'Kom, kom', zei mijn moeder. 'Ik ga even pudding voor ons halen.'

Maar deze omgekeerde maaltijd, deze grote pauze, waarin alles op zijn kop werd gezet en het verstand als sneeuw voor de zon smolt en ouders verwende kinderen werden en kinderen seniele bejaarden, is niet datgene waarover ik wil vertellen. Ik wil eigenlijk vertellen over de thuisreis. We namen, zoals gezegd, een taxi, een Mercedes 220. Het was bijna negen uur. Ik zat voorin. Het rook naar leer en teakolie in de auto. De snelheidsmeter op het dashboard was groen. Ik zag de stad onder ons liggen. Het was net alsof we boven deze stad dreven, in een zwart vaartuig, boven alle lichtjes die fraai en onrustig brandden in de kou en de mist, elektrische lichtjes, akoestische lichtjes, een lamp in een raamkozijn, een hand die een lucifer vasthield, straatlantaarns in een keurig gelid, reclameborden, ambulances en gloeiende restanten van een Skillebekk Sunset. En ik bedacht dat er bij elk van deze trillende lichtjes ook een mens hoorde. Nooit zag ik dat zo duidelijk als op dat moment, en daarvoor en daarna heb ik het ook nooit meer zo helder gezien, dat mijn liederen zich hier bevonden, en dat ik natuurlijk ook een lied zou kunnen schrijven dat Aurora Stern heette. Hier, tussen deze lichtjes, bevond zich het patroon dat ik moest vinden, mijn orde, ik zag alles, maar wist nog niet wat ik had gezien, namelijk dat hier, precies hier, zich de naad bevond die mij bij elkaar hield.

Toen reden we langs de steile, lege tribunes van de springschans en daalden af in die ongehoorde, ongewisse en onmogelijke lichtzee.

Zelden gaat de tijd langzamer dan de laatste dagen voor Kerstmis. Maar de tijd is altijd hetzelfde, ook al kun je nooit je hand twee keer in precies dezelfde seconde steken. Genoeg daarover. Het werd toch 24 december, stipt als de vuilnisman met de emmer op zijn schouder. Ik bracht tot twaalf uur bloemen rond. En toen vielen er geen bloemen meer te bezorgen. Het was afgelopen. Ik kreeg mijn loon bij de kassa. Finsen Zelf telde de strookjes. Ik kreeg 41 kronen meer dan ik had verwacht, omdat Finsen Zelf Hammersborg en Gamle Aker tot de oostzone rekende, wat ikzelf niet had gedaan. Ik bedankte Finsen Zelf hartelijk. Hij bedankte mij. We hadden zo onze meningsverschillen gehad en er was vooral één voorval, waar ik hier verder niet op in wil gaan, dat ik het liefst ongedaan, of op zijn minst ongezien had willen maken, vanuit mijn standpunt. Het is niet waar dat de onderste steen altijd boven moet komen. Er zijn namelijk dingen die je niet moet zien en daar horen Meneer en Mevrouw Finsen Zelf op de tafel in het achterkamertje absoluut ook bij. Soms zouden we allemaal een grote steen, een kei moeten hebben waar we in alle rust onder kunnen rondkruipen en die niemand optilt. Maar alles bij elkaar was het een fijne tijd geweest, die herfst van 1965, bij Finsens Flora in de Niels Juels gate, Oslo 2. Mevrouw Finsen Zelf bedankte me ook, ik bedankte haar en daarna wensten we elkaar een heel goede Kerst, met een stevige handdruk en zelfs een schouderklopje. Er heerste sowieso een prettige stemming bij dit afscheid, al waren we ook wel een beetje triest, dat hoorde erbij, want we wisten allemaal dat een tijdperk voorbij was.

De straten waren leeg.

De straten hadden hun werk gedaan.

En voor de laatste keer bleef ik voor Bruns Muziekhandel in de Bygdøy allé staan.

De Fender Stratocaster hing er nog steeds. Hij glom. Het rode lichaam, de slanke hals, de greep, de knoppen, de snaren, die vervangen waren, alles aan de gitaar glom feller dan ooit.

Plotseling rukte de verkoper de deur open. Het was een vrij jonge vent, met een kraagloos jasje, smalle broekspijpen en spitse schoenen. Hij stak een sigaret op en leek op eentje van de Kinks of misschien was het de bassist van de Spencer Davis Group. Hoe dan ook, hij wees naar me met de lucifer en zei: 'Nou sta je hier al sinds september bij deze Strat te kwijlen! Wil je hem nu wel of niet hebben?'

'Ik weet het niet', antwoordde ik.

De verkoper kwam een stap dichterbij.

'Je weet het niet? Laat ik je dit vertellen. Er zijn mensen die hun rechterarm zouden willen geven voor die gitaar daar. Besef je dat wel?'

'Hun rechterarm?'

'Misschien niet meteen hun rechterarm. Maar een been of beide voeten of hun kont. Wat maakt het uit. En ik zal je nog wat vertellen. We hebben jonge, snelle gitaristen nodig in deze duffe stad.'

'Ik heb niet genoeg geld', zei ik.

De verkoper zuchtte.

'Hoeveel heb je?'

'956 kronen.'

De verkoper dacht na terwijl hij zijn sigaret uitdrukte onder zijn spitse schoen, en zei ten slotte: 'Je kunt hem op afbetaling kopen. 956 kronen vandaag. En dan vanaf 1 januari elke maand 100 kronen. Wat zeg je daarvan?'

Nu was het mijn beurt om na te denken. Ik moest een keuze maken en dat moest ik nu doen. En opeens, in de Bygdøy allé, leek alles zo simpel, zo zonneklaar, ik moest bijna lachen. Ik keek naar de elektrische gitaar, die was prachtig, en ik maakte mijn simpele keuze.

'Nee, dank je', zei ik.

En toen rende ik zo hard ik kon terug naar Finsens Flora. De winkel was gesloten. Ik bonsde op de deur. Na een poosje verscheen mevrouw Finsen Zelf, ze loerde verbaasd door het raam, naar mij, deed toen open en keek op de klok.

'Moet jij niet allang thuis zijn?' vroeg ze.

Ze droeg haar gladde jas niet meer, maar een bruine jurk met kant. Ik herkende haar bijna niet.

'Ik wil graag bloemen kopen', zei ik.

'Zo, wil je dat.'

'Ja. En snel graag.'

Mevrouw Finsen Zelf nam me mee naar het achterkamertje. Daar zat Finsen Zelf, in een donker pak en een vlinderstrikje, tussen de lege planken, de lege vazen, de lege potten, tussen alles wat was verkocht. Op de tafel stonden een fles sherry en twee glazen. Dit was hun Kerstavond en ik had wederom de rust verstoord.

'Hij wil graag bloemen kopen', zei mevrouw Finsen Zelf.

Finsen Zelf keek op.

'Kopen? Natuurlijk gaat hij geen bloemen kopen. Die krijgt hij.'

'Ik wil er graag voor betalen', zei ik.

Finsen Zelf schudde zijn hoofd.

'Geen sprake van. Jij krijgt bloemen.'

Maar ik was halsstarrig.

'Dan ga ik naar Radoor en koop ze daar.'

Finsen Zelf draaide zich om naar mevrouw Finsen Zelf, die ook haar hoofd schudde.

'Geen sprake van', zei ze.

Finsen Zelf dronk zijn glas in een grote, luidruchtige teug leeg en stond op.

'En wat voor soort bloemen had meneer dan gedacht?'

'Lotussen.'

'Zo, lotussen, ja. Lotussen maar liefst. Dan moet je, denk ik, zelf naar Japan om die bloemen daar te plukken. Weet je wel welke dag het vandaag is?'

'Kerstavond', zei ik.

'Juist. Het is Kerstavond. En het enige wat we nog hebben, voor zover ik kan zien, zijn drie cactussen, een jeneverbesstruik en een sanseveria.'

Ik had haast.

'Dan wil ik blauwe bloemen hebben', zei ik.

Finsen Zelf schonk nog wat sherry in beide glazen en gaf een ervan aan mevrouw Finsen Zelf.

'Wat moeten we in godsnaam doen met deze onmogelijke en volslagen onredelijke klant?' vroeg hij.

Mevrouw Finsen Zelf nam een slokje en lachte.

'We moeten maar eens kijken wat ik kan doen', zei ze.

En ze maakte het mooiste boeket ooit van vergeten en afgekeurde bloemen.

Ik betaalde Finsen Zelf gul.

Toen liep ik naar de Haxthausens gate 17 en belde aan, drukte op de bel waar geen naam bij stond. Ik wachtte lang. Er gebeurde niets. Het was Kerstavond. Ik had al thuis moeten zijn. Ik had allang thuis moeten zijn. Mijn vader en moeder wachtten op me. Misschien belden ze naar Finsens Flora om te vragen waar ik bleef. Misschien huilde mijn moeder. Ik bleef staan. Naar huis kon ik altijd nog gaan. Hier kon ik alleen vandaag naartoe. Toen hoorde ik eindelijk de zoemer van de deur, heel kort maar, alsof ze aarzelde of meteen al spijt had. Maar ik was snel genoeg. Ik duwde de deur open. Op de tweede verdieping stond Aurora Stern. Ik bleef op de overloop staan, hijgend. Waar was ik mee bezig? Uiteindelijk gaf ik haar de bloemen. Ze zei: 'Moet ik niet tekenen?'

'Dat hoeft niet.'

Aurora Stern liet me binnen, deed de deur achter ons dicht en nam me mee naar de woonkamer. Die was nog steeds even donker. De zware gordijnen waren nog steeds dicht. Dezelfde geuren: parfumerie en apotheek. Niets hier deed aan Kerstmis denken. Alleen de overgebleven talismannen glinsterden. Ze zette de bloemen in het water. Het viel me op dat haar bewegingen langzaam waren, traag bijna, het moest me wel opvallen, zo had ze de eerste keer dat ik hier was ook gepraat, alsof ze bang was een misstap te maken, iets verkeerds te zeggen, alsof zowel de wereld als de taal onbekende plekken voor haar waren.

'Dankjewel', zei ze.

Ze stond met de rug naar me toe.

Ik wist niet wat ik moest zeggen.

'Wie heeft je die andere bloemen gestuurd?' vroeg ik.

'Zoiets vraag je een dame niet.'

'Neem me niet kwalijk.'

'Zei ik niet dat je dat niet meer moest zeggen?'

Ik sloeg mijn ogen neer.

'Ja.'

'Ik heb ze zelf besteld. Snap je? Ik heb ze voor mezelf besteld. Vind je dat verkeerd?'

'Nee. Natuurlijk niet.'

'Maar deze zijn van jou, of niet? Dat is lief. De allerlaatste bloemen op een Kerstavond.'

Ik keek weer naar haar, wist niet of ze beledigd of dankbaar was.

'Ik wilde gewoon weten wat er gebeurd is', zei ik.

Aurora Stern draaide zich naar me om en veegde haar handen af aan haar jurk, net zo langzaam als alles wat ze deed, en ik zag dat de zwachtels verdwenen waren.

Ze zei: 'Ga zitten.'

'Ja', zei ik.

Ik hoorde de kerkklokken beieren, in de hele stad, Uranienborg, Frogner, Majorstua, Vestre Aker en Fagerborg, en al die klokken vermengden zich tot een ver, koud geluid tussen mijn hartslagen door, die koper onder mijn nagels hamerden. Ik ging zitten. En Aurora Stern nam recht tegenover me plaats, op de divan, net als de vorige keer. Haar knieën raakten bijna de mijne. Ik wilde achteroverleunen, maar boog toch naar voren. En ze legde haar woorden niet in mijn mond, maar in mijn handen:

Aurora Stern was een van de uitverkorenen. Ze was uitverkoren tot het circus. Haar familie hoorde bij het circus. Ze waren clowns, dierentemmers, jongleurs en vuurvreters geweest. Haar vader was messenwerper. Hij wierp de messen in zo'n krappe cirkel rond haar moeder dat de naden van haar kostuum scheurden. Ze woonden overal en nergens. Waar de tent werd opgebouwd was het centrum van de wereld. Het middelpunt van het licht in de piste was de naaf van het universum. Dit was waar alles om draaide. Ze droegen het centrum van de wereld en de naaf van het universum met zich mee en waren grenzeloos. Aurora Stern werd geboren in Polen, kon in Italië op haar handen lopen, maakte een achterwaartse salto in Duitsland, ving in Spanje haar vaders messen op en stond in Frankrijk boven aan het affiche en was toen nog geen achttien: *Cirque d'Hiver, 1932*: Aurora Stern, de vlinder, het ochtendrood. Ze was vanger aan de trapeze. Ze hing aan haar benen aan de dunne stang boven de piste, in een storm van tromgeroffel en stilte. Ze leerde niet duizelig te worden. Wie duizelig wordt, denkt aan andere dingen. Wie duizelig wordt, gaat dood. Het enige waar je aan moet denken is de act die je het volgende moment moet uitvoeren. Aurora Stern ving de acrobaten. Ze was zowel vlinder als vlindernetje. Ze ving de acrobaten op in haar ijzeren greep, in een ketting van handen, en tilde ze weer in veiligheid, terwijl ze zelf verder zweefde naar het kleine, vierkante platform aan de andere kant van de tent. En ze trokken verder. Ze trokken altijd verder. De affiches waren in allerlei talen, maar het applaus was hetzelfde. Aurora Stern, vlinder van ijzer. Toen kwam de oorlog. Die was er al een hele poos, maar op een dag kwam de oorlog precies daar waar zij waren en moest het circus sluiten. De troep viel uiteen. De gezinnen raakten verspreid. De families verdwenen, generatie na generatie. De trekvogels werden in een ander soort ijzer gevangen. Aurora Stern zocht haar toevlucht in Denemarken, in een zomerhuis bij Hornbæk dat eigendom was van een directeur van Tivoli. Hij onderhield haar. Zij betaalde hem rijkelijk terug. De oorlog was zonder applaus. Maar ik wil het nu niet over de oorlog hebben. De oorlog kwam ook ten einde. Aurora Stern zocht naar haar familie, in heel Europa, langs alle wegen en affiches, en vond niemand. Haar familie was een massagraf. Haar familie was een ruïne. Haar familie was een verhaal dat ooit verteld moest worden. In plaats van haar familie vond ze Bruno, een Hongaarse acrobaat. Ze vond hem in Wenen. Beiden waren gekwetst en ontheemd. Beiden liepen tegen de dertig. Bruno wás zelfs al dertig, was dat twee jaar tevoren geworden, maar loog over zijn leeftijd om misschien werk te vinden in een opgedoekt circus. Want dertig is de kritieke leeftijd voor een acrobaat. Dan word je afgedankt. Dan kun je beter naar iets anders omkijken, iets anders dan het circus, zo niet, dan kun je er donder op zeggen dat je eindigt als een droevige act in een rokerig café waar iedereen gratis naar binnen mag en waar niemand de moeite neemt om naar je te kijken en dat is dan het enige goede nieuws. Ik zeg, koop liever een tabakswinkeltje in een vriendelijk stadje, zet wat geld op de bank, zet een wit tuinhek om de tent heen, zaai rogge in de piste, het enige wat je niet moet doen is net zoals vroeger doorgaan. Aurora en Bruno gingen door, maar niets was meer zoals vroeger. Ze oefenden vier jaar lang op hun onmogelijke act, een driedubbele salto mortale. Dat is geen gewone buiteling. Dat is de cirkel des doods keer drie. Aurora wikkelde zwachtels om haar polsen en hield Bruno vast. Bruno waste zijn handen in zand en ze waren een ketting. Niet duizelig worden. Niet aan iets anders denken. Denk aan wat je precies op dit moment doet, denk er niet aan dat dit is waar je je al die jaren op hebt voorbereid, denk dat het de eerste keer is. En in godsnaam niet duizelig worden. Jij draait niet. De aarde draait. Jij hebt de aarde in je hand. Ze kregen een contract bij Tivoli in Kopenhagen. Het was december. Het was in de maand van de witte clown. Het was, met andere woorden, erop of eronder. Laat ik het nog eens zeggen: Bruno zal zich van de vliegende trapeze storten, naar de vanger, Aurora, die aan haar benen aan een andere trapeze hangt, drie keer zal hij in de lucht ronddraaien voordat hij de handen van de vanger pakt, met uiterste precisie, en dan zullen ze elkaar weer loslaten, op weer zo'n precies moment, van huid, nagels en zwachtels. Ze zijn in beweging. Het tromgeroffel verstomt. Het publiek houdt, zoals gewoonlijk, de adem in. En er gaat iets mis. Aurora laat hem los. Aurora raakt hem kwijt. En Bruno valt uit het licht, terwijl zij op het platform landt, aan de overkant, en hem ziet vallen. Heb ik al iets over haar haren gezegd? Het was zwart, kortgeknipt, een vanger, een vlinder kan geen vlechten of lange krullen hebben. Ze bleef op het platform staan. Ze kwam niet naar beneden. Ze riepen haar. Ze gelastten de voorstelling af. Het publiek ging naar huis. De lijkwagen parkeerde tussen de circuswagens. Ze kwam niet naar beneden. Ze moesten haar naar beneden halen. En sommigen zeggen dat haar haar grijs, bijna wit geworden was terwijl ze op het platform stond, boven het publiek, de toeschouwers die een voor een met tegenzin de tribunes verlieten. Vaarwel, Bruno. Morgen ben je vergeten. Maar in mijn ogen staat ze daar nog steeds, op het platform, vlak onder de koepel van de circustent, de oude tent waar de wind allang scheuren in heeft gesleten.

Daarna? Nee, niet over praten.

Aurora Stern is slechts een naam. Ze bestaat niet. Ik heb ook geen naam en zo lijken we op elkaar. We bestaan niet.

Pas nu viel me op dat haar haar grijs was.

Ze zei: 'Laat me je handen zien.'

Ik liet haar mijn handen zien. Het was misschien de eerste keer dat ik ze zo zag: ze waren vrij smal, niet bijzonder mooi, de knokkels waren glad, als kleine heuveltjes. Ze zagen eruit als handen die nog niet veel hadden meegemaakt. Aurora Stern draaide ze om, zodat mijn handpalmen naar boven waren gekeerd, en het was bijna schokkend om te zien hoe bleek en rimpelig die waren. Ze streelde ze met haar vingers, richting mijn arm, mijn polsslagader en daar sloot ze haar handen om mijn pols en ik greep haar polsen beet en we waren die ketting, die menselijke ketting, ik kan het niet anders noemen.

'Jou zal ik niet loslaten', zei ze.

'Wat?'

'Jou zal ik altijd vasthouden', zei Aurora Stern.

En zo sluit ik deze voorstelling af, op de boekenbeurs in Parijs, waar ik van het toneel viel, maar ik zweer, en dat zeg ik met mijn hand op mijn hart, met mijn hand op mijn dubbele hart, dat ik weer opsteeg, ik zweer dat ik niet in de buurt van de vloer kwam, want het volgende moment zat ik weer op de stoel, op dat nog steeds gammele Franse podium, de klok boven de deur wees nu 19.04 aan en ik keek snel op het spiekbriefje en las in mezelf de drie woorden die ik voor deze gelegenheid had opgeschreven, 'tijd', 'zwijgen', 'melancholie', en ik had eigenlijk zin om daar nog een woord aan toe te voegen, onmogelijk, maar dat deed ik niet, ik verfrommelde in plaats daarvan het spiekbriefje, gooide het weg, keek in de ogen van mijn verbijsterde, of geschokte publiek, en zei: 'Ik ben schrijver geworden omdat die elektrische gitaar op een bloem leek.'

# Lars Saabye Christensen bij De Geus

*De entertainer*

Een tragikomische roman over een wereldvreemde pianist in een wereld zonder slaap Jonatan Grep probeert Oslo, zijn moeder en zijn verleden te ontvluchten en neemt een zomerbaantje aan als pianist in een sjofel hotel in het hoge noorden van Noorwegen. Zijn enige taak daar is muziek te spelen die de bieromzet verhoogt. Geplaagd door de middernachtzon en slapeloosheid zwerft hij 's nachts door het dorp en luistert naar de bizarre verhalen van de dorpelingen over vetes, muziekkorpsen en wintergolfbanen. Gaandeweg krijgen we ook Jonatans eigen verhaal te horen en de reden waarom hij naar deze uithoek is gevlucht. Jonatan besluit een nieuwe start te maken en doet zijn uiterste best om alle problemen van het dorp op te lossen – maar zijn goede bedoelingen hebben rampzalige gevolgen …

*De halfbroer*

Scenarioschrijver Barnum Nilsen bezoekt met zijn vriend en manager Peder het Filmfestival in Berlijn. Terwijl Peder deals probeert te sluiten, geeft Barnum zich in zijn hotel over aan zijn drankzucht. Ontmoetingen met filmproducenten gaat hij liever uit de weg. Het bericht dat zijn verdwenen halfbroer Fred na jaren weer is thuisgekomen, ontketent zijn verteldrang. Een wervelende familiegeschiedenis is het resultaat.

## Herman

Voor de elfjarige Herman is niets vanzelfsprekend. Hij wil alles zelf ontdekken en verwondert zich over wat hij ziet. Zijn onverwachte vragen confronteren de volwassenen om hem heen met hun vastgeroeste patronen. Voor zijn leeftijdgenoten is hij een ongrijpbare jongen die maar beter buitengesloten kan worden.

Dan blijkt Herman te lijden aan een zeldzame ziekte die ervoor kan zorgen dat al zijn haar uitvalt. Nu hij ook uiterlijk afwijkt van de rest, wordt Herman zich bewust van zijn positie. Vanaf dat moment moet hij leren zichzelf te accepteren zoals hij is.

## Maskerade

'Ik had een fijne jeugd', zo begint Adrian, de hoofdpersoon in Maskerade, het verhaal over zijn kindertijd. Meteen daarna weet de lezer dat er niets van klopt. Zijn vader pleegt zelfmoord als de jongen twaalf is. Zijn moeder trekt zich terug in haar bed. Het huishouden wordt voortaan geregeerd door een tante die niets van de jongen begrijpt. Adrian groeit op in een huis dat veel weg heeft van een opslagruimte waar hele en halve uitvindingen, verzwegen gevoelens, verborgen levens en leugens opgestapeld liggen. Zelf draagt hij ook een geheim met zich mee waarvan hij zich langzaamaan bewust wordt.

## Yesterday

In het voorjaar van 1965 brengen de Beatles de single 'I Feel Fine' uit. Ook in Noorwegen slaat de Beatlemania toe. Gunnar, Sebastian, Kim en Ola zijn pubers en hun jeugd in Oslo staat in het teken van hun idolen uit Liverpool.

In de zeven jaar dat de lezer de belevenissen van de jongens volgt (gemarkeerd door de volgorde waarin de singles van de Beatles worden uitgebracht), wordt hij meegenomen in de maatschappelijke stroomversnelling van de tijd. De jongens ruziën met hun ouders over kleding, de lengte van het haar en het volume waarop ze hun platen draaien. Na de middelbare school, als ze op kamers gaan en ieder hun eigen weg kiezen, storten ze zich in het echte leven. Soms met desastreuze gevolgen.

*Het model*

Schilder Peter Wihl wordt vijftig jaar en hij staat te trappelen om een nieuwe tentoonstelling te openen. Zijn galeriehouder is minder enthousiast. Peter zal met iets nieuws moeten komen. Op het oude werk, dat voornamelijk uit geschilderde lichaamsdelen bestaat, zit niemand meer te wachten.

Als Peter bezig is de schilderijen voor de tentoonstelling te verzamelen, merkt hij dat zijn gezichtsvermogen afneemt. Hij doet alles om te voorkomen dat hij niet meer zou kunnen schilderen en sluit een pact met de duivel die zich in de persoon van een louche oogarts aankondigt. En inderdaad, Peter krijgt zijn gezichtsvermogen terug en slaagt erin prachtige portretten te maken waarvoor zijn zesjarige dochtertje model zit. Maar dan komt de oogarts de rekening vereffenen.

*De walrus*

Op 4 januari 2001 wordt Kim Karlsen wakker met totaal geheugenverlies. Hij weet niet wie hij is en waar hij is. Als hij een agenda vindt, belt hij zijn eigen nummer en krijgt op het antwoordapparaat van zichzelf te horen dat hij op avontuur is. Een hotelsleutel leert hem dat hij zich bevindt in het Sortland Hotell, kamer 313. Hij ligt naakt op bed en wordt verrast door het kamermeisje, dat gillend de kamer verlaat. Kim kleedt zich aan en gaat op onderzoek uit. Dit is het begin van wat een surrealistische tocht zal worden.